特 別 な ス キ ル が な く て も で き る

月収＋10万円

こっそり

副業術

土谷 愛
Tsuchitani Ai

JN068114

日本能率協会マネジメントセンター

はじめに──「こっそり副業術」のススメ

「今のまま働いていても、将来のお金が不安だな…」と思っているあなたへ。

ご存知の通り、世の中は空前の副業ブームです。**2018年ごろから大手企業を中心に、数々の企業が「副業・兼業OK」と発表し始めました。**

今この本を読んでくださっているあなたも、まさに「時代の流れが大きく変化している瞬間」を感じていることでしょう。

副業でお金を稼ぐことができれば、収入源が複数になります。

すると、今の生活がちょっと豊かになったり、将来に向けた貯蓄や自己投資ができるようになったり、家族や大切な人との楽しい時間を増やせたりします。

あるいは万が一、不測の事態で本業を辞めることになったとしても、副業で「もう1つの収入の柱」があれば慌てふためくこともありません。

また、会社以外でお金を稼ぐ経験をすることで、スキルアップや日々のモチベーションアップにつながり、結果的に本業での成果やお給料もアップする…なんて嬉しい効果もあるでしょう。

こんないいことづくめの副業ライフ。今や企業が副業を推進しているという時代の流れもあり、どんどんブームが加速しています。

しかし、こうした時代の中で

「副業に興味はあるけど、大々的にやって会社の人に知られるのもなんだか嫌だし…」
「色々と手法を調べてはみたけど、なんだかどの副業も大変そう。自分には無理かも…」

あなたは今、こんなことでひとりモヤモヤと悩んでいませんか？
本書は、まさにそんなあなたに向けて書いた本です。

今から90分後、この本を読み終えたあなたの気持ちが一変し
「えっ？　平凡すぎる自分には何もできないし…と思っていたのに、こんなに簡単に収入って増やせるんだ！　早くやってみたい！」
とワクワクしていただけるような副業メソッドをぎゅっと一冊に詰め込みました。

本書でお伝えする「こっそり副業術」とは、一言でいうと**あなたが今すでに持っている「強み」を活かして、ネットでお金に換える副業術**のことです。

…もしかしたら、「『今すでに持っている強み』といったって、どうせ専門資格や高度なスキルがないとダメなんでしょ？」と思われるかもしれません。

ですが、ご安心ください。
本書でお伝えする「強み」とは、専門資格や高度なスキルのことだけを指すわけではありません。

事実、本書を読んでいるあなたより一足早く、この「こっそり副業術」を実践していただいているのはどんな方々かというと…

- **本業の事務職以外で、自分で稼いでやりがいを感じてみたい！という派遣社員**
- **趣味で楽しんでいたことをどうせならお金に換えてみたい！と考えていたアルバイター**
- **定時後のヒマな時間でサクッと収入を増やしたいサラリーマン**
- **仕事、家事、子育てと大忙しの中、もう少し家計にゆとりが欲しいワーキングマザー**
- **出産後のキャリアを見据えて、産休・育休中に自宅で稼ぐスキルをつけたい会社員**

　ほんの一例ですが、例えば誰もが知る大手企業に勤めているとか、飛びぬけて専門的な知識や資格を持っているわけではなく、いわゆる「フツー」の方々ばかりです。

　「フツー」の人が、こっそりと副業で成果を出している。
　そう聞くと、ちょっと驚きですよね。
　でも、本書のメソッドをしっかり実践すれば、すぐにあなたも「本当にできちゃった！」と実感していただけると思います。
　実際、実践者の皆さんが口をそろえておっしゃるのは

　「うそ！こんなちょっとしたことがお金になるなんて思いませんでした…」

従来の副業イメージは「専門スキルがある人がやるもの」

「こっそり副業」だと、特別なスキルがなくても気軽に始められる

「えっ？特別なスキルがない私には、副業で収入を増やすなんて難しいと思ってたのに！」

なんていう言葉なんですから。

あなたのちょっとした経験や知識・スキルといった「強み」を活かして、夢中で楽しく副業に取り組んでいたら、いつの間にか収入が増えていた…という未来を、どうぞ楽しみにしていてください。

いかがでしょう？

「楽しそう」「早く知りたいな」と思っていただけましたか？

大々的な独立・起業ではなく、こっそりと、しかし感謝されるやりがいを感じながら、収入もアップする…そんな魅力的なこっそり副業の世界にご案内したいと思います。

＜本書の効果的な使い方＞

① 【全員】第1章を読み、こっそり副業について理解する
② 【自分の強みがわからない人】第2・3・4章を読み、自己分析ワークから順に始める
　 【自分の強みがわかる人】第3・4章を読み、商品を出品する
③ 【全員／商品出品後】第5章を読み、売上アップに挑戦する

6

{ 第 **3** 章 } STEP2〜強みを活かした商品作り

※副業は、納税義務の確認も含めてあくまでもご自分の判断で行ってください。
本書掲載の情報に従ったことによる損害については、いかなる場合も著者および
発行元はその責任を負いません。
また本書の情報は2021年5月時点のものです。

第 **1** 章

こっそり副業の

3 STEP

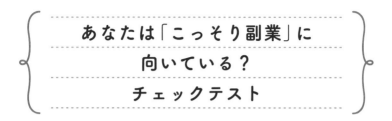

あなたは「こっそり副業」に
向いている？
チェックテスト

　突然ですが、本書を読み進めていただく前に、簡単なテストをしたいと思います。以下の項目のうち、今の自分の気持ちにあてはまるものにチェックを入れてみてください。

- ☐ ① できれば会社の人や友達に副業しているとバレたくない
- ☐ ② ネット上に顔写真や本名を出すことに抵抗がある
- ☐ ③ 今すぐ自己投資できるお金の余裕があまりない
- ☐ ④ これまでの仕事ではやりがいを感じにくかった
- ☐ ⑤ どうせやるなら誰かに感謝されて働きたい
- ☐ ⑥ 得意や好きを見つけて、楽しくお金を稼いでみたい
- ☐ ⑦ 飽きっぽくて何かを始めてもなかなか続かないことがある
- ☐ ⑧ 本業や家事育児などで、副業できる時間があまり多くない
- ☐ ⑨ 副業＝何か新しいことを学ぶイメージがあり、大変そうだ
- ☐ ⑩ 独立・起業という大きな目標より、まずは月に数万円でも
  増やすことから始めたい

　さて、いくつチェックがついたでしょうか？
　種明かしをすると、この10項目は、本書で解説する「こっそり副業術」ならすべて解消できてしまうんです。

　もし1つでもあてはまるものがあった方には、自信を持って本書のノウハウをおすすめできます。さらに「3つ以上あてはまる！」というあなたには、まさにぴったりの副業術といえるでしょう。

　ちなみに各項目についてサラッと解説しますと、

① できれば会社の人や友達に副業しているとバレたくない

➡こっそり副業術はネット上で完結するものが中心です。そのため、お家や会社の近所のお店でバイトしてうっかり知り合いに遭遇…なんて危険はありません。

② ネット上に顔写真や本名を出すことに抵抗がある

➡こっそり副業術は基本的にネットを使って行いますが、顔写真や本名を載せないやり方も可能です。実際、多くの方がニックネームやアイコンを使って成果を出しています。

③ 今すぐ自己投資できるお金の余裕があまりない

➡こっそり副業術は現在のあなたが持っている知識やスキルなど、いわゆる「すでにあなたの中にある強み」を活かして行うことができます。これはつまり、資金0円で気軽に始められるということ。資格を取るために高額な受講料を払ったり、モノを販売するのに仕入れ金を用意したり…ということは必ずしも求められません。

④ これまでの仕事ではやりがいを感じにくかった

➡こっそり副業術はマニュアル通り単調な作業を繰り返すのではな

く、自分で仕事をカスタマイズしていく楽しさがあります。実践者からは「売るもの・価格・やり方などをすべて自分で決められ、自由度が高くやりがいを感じやすい！」という声が多いです。

⑤ どうせやるなら誰かに感謝されて働きたい
➡こっそり副業術の特徴は既製品など「どこかの会社の商品」を売るのではなく、「自分」を商品にすることです。あなたに向けてダイレクトに「ありがとう！」とお客様から感謝の声が届くので、やりがいや嬉しさもひとしおです。

⑥ 得意や好きを見つけて、楽しくお金を稼いでみたい
➡こっそり副業術はあなたの「得意なこと」や「好きなこと」を見つけ出し、それに値段をつけて販売するというメソッドなので、そんなあなたにぴったりです。

⑦ 飽きっぽくて何かを始めてもなかなか続かないことがある
➡こっそり副業術では「すでにあなたの中にある強み」を売るので「始めよう！」と思った瞬間に、即始めることができます。
飽きっぽい方でもサッと始められ、もし嫌になったらいつでも気楽にやめることもできるのも大きな魅力です。

⑧ 本業や家事育児などで、副業できる時間があまり多くない
➡アルバイトなどのようにまとまった時間を拘束される副業は、家事育児などに忙しい方や、本業で急な予定や残業が入る方にとっては現実問題としてなかなか難しいですよね。こっそり副業術は、

基本的にPCやスマホなどネット環境があればできるため、仕事や家事のスキマ時間にこなすこともできちゃいます。

⑨ 副業＝何か新しいことを学ぶイメージがあり、大変そうだ
➡プログラミング、Webデザイン、ライティング、物販、アフィリエイトなど、その副業をするための新しい知識・スキルを身につける必要がある副業もあります。
しかし、こっそり副業術なら、「今ある知識やスキルをお金に換えること」から気軽にチャレンジすることができるので、始めるハードルは格段に低いでしょう。

⑩ 独立・起業という大きな目標より、まずは月に数万円でも増やすことから始めたい
➡副業を始める方の中には、「絶対に独立する！」「自分のビジネスだけで食べていく！」と最初から考える方もいますが、そうでなくとも「毎月自由に使えるお金を少しでも増やせたらいいな」という気軽な気持ちで始められるのもこっそり副業術のいいところ。ゆくゆくは独立・起業を視野に入れているという方にも、「まずはこっそり副業で小さく始めてみる➡それを拡大して独立する」という選択肢もおすすめです。

いかがでしょう？　きっと、こっそり副業がとても魅力的な新しい副業の形だということが何となく伝わったのではないでしょうか。

まとめると、こっそり副業のメリットは以下の5つです。

こっそり副業にはメリットが盛り沢山！

① 顔や本名を出さず気軽かつ手軽に始められる

② 0円で金銭的リスクなく始められる

③「自分らしさ」を活かして感謝される喜びがある

④ 本業の収入以外に収入源ができ、いざという時のリスク分散に
　なる

⑤ 自然とビジネススキルが身につくため、副次的に本業の成果も
　アップする

　楽しみながらも、どんどん自分に自信が持てるようになる魔法の
ような副業術なので、本書をきっかけにぜひ多くの方にチャレンジ
していただきたいと思っています。

「こっそり副業」とは？

さて、「こっそり副業」とは一体何でしょう？

　一言でいうと、**あなたの「得意なこと」や「好きなこと」を見つけ出し、それに値段をつけて商品として販売する副業**のこと。

　このようにスキルをネットで売ることを「**スキルシェア**」といいます。近年スキルシェアによって「働きがいを感じられるようになった」「失業を回避できた」などの声が増えており、収入のみならず人の幸福度を向上させるともいわれています。

　本書では様々なネット上のツールやSNSを活用することで、誰にでもできるスキルシェアのやり方をくわしくお伝えしていきます。

▶「得意」や「好き」がお金に換わる

　実は、今の時代は「自分のちょっとした趣味や特技」を昔よりも簡単にお金に換えることができる時代です。

　ネットの普及によって、「スキルシェア全盛期」とも呼べる時代がやってきました。とくに2020年からは新型ウイルスの登場も相まってオンライン完結のスキル売買が当たり前の時代となり、その勢いがますます加速しています。

スキルのフリーマーケットに出品してみませんか？

　その証拠に、ネット上には数多くのスキルシェアのためのプラット
フォームが存在しています。例えば、ココナラ、ランサーズ、ク
ラウドワークス、ストアカ、タイムチケットなど…。

　各サービスのくわしい説明は第3章で出てきますので、今はひと
まず「ネットで個人のスキルを売り買いできるサイトがたくさんあ
るんだ！」とわかっていただければ大丈夫です。

　こういった**スキルシェアプラットフォームは、イメージするなら**
「スキルのフリーマーケット」のようなもの。つまり、「スキルを持
つ人」と「スキルを求める人」が同じ場所（サイト上）に集まって
マッチングできる、といったサービスです。

　実際に私のお客様では、

● **本業のスキルを活かした事務代行サービスで、開始1週間で副業**

収入1万円以上をサクッと稼いだ事務職の方
● 書道の資格などはないけれど、周りの人から「字がうまいよね」と褒められたことをきっかけに、お手紙代筆サービスを販売して喜ばれている主婦の方
●「褒め上手」な性格を活かし、個人の創作作品を読んで感想を伝えるサービスを販売し、とても喜ばれている派遣社員の方

など、たくさんの方が本業と両立して、ちょっとした知識・スキルで副収入を得ています。

プラットフォームそれぞれの特徴を把握してうまく活用すれば、それだけで月収＋5万円、10万円もまったく夢ではありません。

▶ 初心者はプラットフォームを活用しよう

とくにあなたが副業初心者であれば、まずは先述のような**プラットフォームを活用するの**がおすすめです。

あなたがネットの広い大海原で「買いたい人探し」に奔走しなくても、プラットフォームにはすでに「買いたい人」が集まっているからです。

例えばあなたが趣味で作ったハンドメイドのアクセサリーがあったとして、それをどう売るかを考えてみましょう。

A.SNSなどの大海原で「アクセサリーを必要としていそうな人」を探し出し、一人ひとりに「ハンドメイドアクセサリーに興味

はありますか？」とメッセージを送って売り込みをする

B. フリマサイトなどの「モノを買いたい人」が集まるプラットフォームに「こんなアクセサリー売ってます！」と告知する

どちらがスムーズに売れるか？といえば、もちろんBですね。

このように、あなたがすでに大量の見込み客を抱えているわけでなければ、ひとまず買いたい人が大勢集まるプラットフォームに商品を出品することからチャレンジしてみましょう。

▶ こんなものがお金に!?　意外な商売の例

しかし、いくら「ネットがあれば気軽に商品を提供できて、お金になるよ！」といっても、「それは高度なスキルや専門資格がある人の特権でしょ？」というイメージもまだまだ強いでしょう。

持っている人が限られる高度なスキルや専門資格はそれが有利に働くことは確かです。

でも、繰り返しお伝えしますが、「特別なスキルや専門的な資格がない人」でも大丈夫。

もっともっと身近で簡単な知識やスキルで、気軽に収入を増やすことができるのです。

参考までに、「ココナラ」というスキルシェアプラットフォーム（無料閲覧可）で実際に売れているサービスの一例を紹介しましょう。

「秘書・事務代行《1時間》柔軟にサポート致します」

「愚痴、聞きます」

「ビジネス書（日本語）のまとめをお手伝いします」

「時短術、教えます」

「デートプラン考えます」

いかがでしょうか？

こうした商品が無数に出品され、実際に売れているのですから、世の中には「え、こんなことで！？」と思うようなものでも稼げる事例が実はたくさんある、と感じていただけたかと思います。

▶ あなたがすでに持っているものがお金に換わる

おそらく「副業を始めたい」と考える方の多くが、「何か新しいことを学ばなきゃ！」と考え、あれこれネットで情報収集を始めることと思います。

でも、ちょっと待ってください。

新しく何かを学ぶのも素晴らしいことですが、新たなことを始め

るのはハードルが高いのもまた事実です。

　では、もし、「今あなたが持っているスキルや趣味」が準備なし
ですぐにお金に換わるとしたら、どうでしょう？　それも家にいな
がら、スキマ時間にスマホひとつでできるとしたら…。

　新しい挑戦をしてつまずく前に、まずはパパっと小さく、「今持
っているもの」を売ってみない手はないと思いませんか？

▶ **楽しく副業していたら、本業の成果もアップ！**

　「好きなことでお金を稼ぐってこんなにもあっという間に時間が
過ぎるんだ！」

　「自分にとっては得意で難なくできることで、人から喜ばれるっ
てこんなにも嬉しいんだ！」

という感想がとても多いのも、こっそり副業術の特徴です。

　また意外な効果として、スキルシェアでお金を稼ぐ経験をしたこ
とで、「自分はこれが得意だったんだ！」とわかり、本業の成果が
上がったり、昇進や転職に成功して給料がアップしたりするケース
も多々あります。

　新しいスキルを身につけるのもいいですが、「今すでに持ってい
るあなたの強み」を存分に確かめたり伸ばしたりすることができる
のが、スキルシェアの醍醐味だといえます。

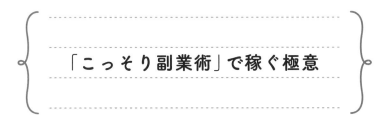

「こっそり副業術」で稼ぐ極意

　では、こっそり副業術で稼ぐにはどんなことに気をつければいいの？というお話をします。ポイントは3つです。

●気軽なものから始めてOK！
●1回目はとにかくスピード重視！
●「出品➡改善」が売れる近道！

この3つをおさえるだけで成功率がぐっと高まります。

▶ 気軽なものから始めてOK！

　まず「気軽なものから始めてOK！」と楽に構えることです。
　「あなたの知識やスキルを販売しましょう！」といわれると、つい身構えてしまって「ものすごくくわしいことや自信のある分野じゃないとダメなんじゃないかな…」と思ってしまう方がいます。

　ですが、まったくそんな心配はいりません。
　第4章で「各プラットフォームのリサーチ」をしてみるとわかるのですが、必ずしも初心者のうちから高額な商品を狙って作る必要

はないからです。

　もちろん、自信がある分野は高額商品作りにチャレンジしても
OKですが、仮にそうでない場合は、まずは100円、500円、1000円
といった低単価の商品を作って気軽に売ることからチャレンジして
みましょう。

　感覚としては、「**友達や兄弟の困りごとを解決してあげる代わり
に、ランチやジュース代を1回分ごちそうしてもらう**」くらいのス
タンスでまずはOK。
　「これ手伝ってあげるからジュース1本おごってね！」といえる
くらいの内容で販売すればいいんです。
　それならちょっとできそうな気がしますよね。

　とにかく気軽にサクッと始められるのがこっそり副業の魅力なの
で、自分の主観でハードルを上げすぎずに、むしろハードルはどん
どん下げてしまいましょう。

▶ **1回目はとにかくスピード重視！**

　次は「1回目はとにかくスピード重視！」でトライしてみること
です。
　本書を読んで「ふむふむ、なるほど。来週末にやってみよう〜
♪」と言ってパタンと本を閉じるその前に、**まずは読んだ今日のう
ちに、何でもいいから1つ商品を出品してみよう！**　というスピー

ド感が、実はとっても大事なのです。

　せっかく貴重なお金と時間を割いて本書を読んだのであれば、**まずは【読み終えてすぐに】商品を作って売ってみてください。**

　この「1回目をいかに早く行動に移せるか?」が、副業で成果を出す上ではとても大事です。

　なぜなら人間は「知識を得た今この瞬間」が一番記憶が鮮明で、モチベーションが高い状態だからです。1時間後、1日後、1週間後…と時間が過ぎていけば、少しずつ記憶もモチベーションも下がってしまうのはどんな分野でも避けられません。

　一方で、ササッと一度でも経験してしまえば、知識の定着率はグンと上がります。

　そして「難しそうだな」と思っていたことでも、「なーんだ、意外と簡単じゃん!」と勝手がわかれば、2回目、3回目と出品する際のハードルは格段に低くなります。「最初の1回をもっと早くやったら良かった…!」なんて後悔する人も多いくらいです。

　なので、繰り返しますが、**本書を読んだらとりあえず今日のうちに即試す!**　というスピード感を何よりも大事にしましょう。

▶「出品➡改善」が売れる近道!

　最後は、「出品➡改善」が売れる近道!　と心得ることです。

　というのも、とくに初心者の方は「商品を練りに練って、完璧

だ！　と確信が持てる状態にしてから販売を始めたい！」と思って
しまう方がとても多いからです。
　何を隠そう、私自身が完璧主義体質で、「どうせやるなら絶対に
失敗したくない」と考えてしまう癖がありました。

　でも実は、そのように「練って練って渾身の商品を1つ出す」よ
りも「粗削りでもすぐに商品を出して、売れるかどうかをまず確認
し、どんどん改善していく」ほうが結果的に売れるのが早いのです。
　なぜなら、商品の「買う・買わない」を誰が評価するかというと、
自分ではなくお客様だから。売るというのはつまり「この商品には
この価格の価値がありますか？」とお客様に直接聞いてみるという
行為なのです。

　そこで「売れない」という結果になったのであれば、「売れない
理由」を取り除いていけばOK。
　「100%売れる！　と自信を持てるまで考える」というのは、い
つまでも正解がわからずにいるということ。それが逆に売れるまで
のスピードを遅くしているということを忘れずに、「これいいかも」
と直感で思ったものは即出品し、結果を見て、どんどん改善してブ
ラッシュアップさせていきましょう。

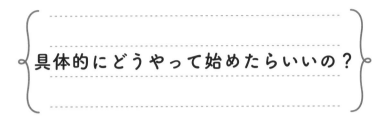

具体的にどうやって始めたらいいの？

　さて、ここまでこっそり副業の魅力や、こっそり副業で稼いでいくための極意をざっくりとお伝えしたところで、次はいよいよ具体的なやり方をご説明していきます。

　こっそり副業術は、次の3ステップに沿って行えばOKです。

STEP 1. 自己分析で強み探し
STEP 2. 強みを活かした商品作り
STEP 3. 販売ページを作っていざ販売！

　第2章以降で、この3つのステップを順に解説しますが、まず第2章（STEP 1）の自己分析ワークであなたの「商品アイディア」を見つけた後、第3章（STEP 2）ではあなたの強みを「売れやすい商品」に加工する具体的な方法を学び、最後に第4章（STEP 3）であなたの商品を「売れやすい販路」に乗せる極意を学んでいただきます。

　あなたは本書を見ながら1ステップごとにそのまま実践していくだけ。何ひとつ難しいことはありません。

ここから先は実践的なワークがたっぷり出てきますので、**ぜひ本書に書き込みをしたり、メモ帳などに湧き出るアイディアを書き留めたりしながら楽しんで進めてみてください**。

第 **2** 章

STEP1

自己分析で

強み探し

まずは自己分析！
これが収益化の最短ルート

　それでは、いよいよ「こっそり副業術」の中身についてくわしく解説していきます。本章は、あなた自身の自己分析を通して、「どんな商品を販売するのか？」を見つけることがテーマです。

▶ 仕入れに出かけるより、まずは家の中を！

　まず行うのが、商品のネタとなる「あなたの強み」を見つける自己分析です。

　なぜ、自己分析を最初に行うのかというと、「今すでにあるもの」を売ることが最もハードルが低く、準備期間もゼロなので今すぐ始めやすいからです。

　例えば、フリマアプリでモノを売るときを想像してみてください。

　「何か儲かりそうなものをどこかで安く仕入れて売るぞ…！」と時間をかけて小売店を巡るのもいいけれど、その前にまずは「家にあるいらないもので何か売れるものないかな？」と部屋を見渡してみると、案外売れそうなものが転がっていたりします。

　仮に自分では「こんな不要品だけど売れるのかな？」と思ったとしても、どこかに「それが欲しかったんです！」という人さえいれ

ば、自分の主観に関係なくバンバン売れてしまいます。

　これはスキルシェアにおいてもまったく同じ。
　まずは部屋の中から掘り出し物を見つけるような感覚で、あなた自身の中にある「商品として売れそうな強み」を自己分析でガシガシ見つけていきましょう。

▶ **どんな人にも強みがある**

　「自己分析して強みを見つけましょう！」というと、あなたはもしかしたら今「自分は本当に平凡で、強みなんてないんです…」と思ったかもしれません。
　でも、**私にいわせれば、「強みがない人」は存在しません。**
　なぜかというと、「強み」とは、元をたどれば「自分の特徴」に過ぎないからです。
　一人ひとり、持っている性格や経験・価値観は違うので、まったく特徴がなく「他人と瓜二つの人」なんて存在しませんよね。

　そもそも**私なりの「強み」の定義は何かというと、「目的を達成するために有利に働く特徴」**のことです。ということは、「目的」が変われば「そのために使う特徴」も当然変わります。

　1つわかりやすい例をお話します。
　あなたが舞台役者を目指していて、今度オーディションがあるとします。そしてあなたの特徴として、身長は170cm、面長で大人っ

ぽい印象の顔立ちをしている…と仮定しましょう。

　1回目に受けたオーディションは恋愛モノで、募集しているのは「高校生のヒロイン役」。どちらかというと童顔で垢抜けない少女っぽい役を演じる女優を探しています。

　この条件において、あなたの「身長170cm」「大人っぽい顔立ち」は果たして強みになりそうでしょうか?

　少し難しそうな気がしますよね。

　では、次のケースだったらどうでしょうか?

　2回目のオーディションはお仕事モノで、募集しているのは「世界で活躍するモデルを目指して努力する女性の役」。身長が高く、クールなイメージの女優を探しています。

　今度はあなたの「身長170cm」「大人っぽい顔立ち」がバッチリ強みになりそうです。

　つまり、同じ「身長170cm」「大人っぽい顔立ち」というあなたの特徴でも、場合によって強みになったり、弱みになったりする、ということです。

　あなたの中に「強みはこれ」「弱みはこれ」といった固定化された要素があるのではなく、あなたの中にはただ無数の「特徴」があるだけ。

　要するに「強み」とは、「目的達成に有利に働く1つの特徴」でしかないということなんです。

　なので、「強みがあるかないか」を考えるのではなく、その人の「特徴」が状況次第で強みにも弱みにもなりうる、と考えるように

してください。

▶ 強みと弱みは表裏一体！

さらにもう一歩深堀りして、「**強みは弱みの裏にこそ隠れている**」
というちょっと面白いお話をします。

以前、大のコーヒー好きで、いつも必ずコーヒーを飲んでいる友
人とカフェに行った時、友人が珍しくコーヒーではなくココアをオ
ーダーしていました。
不思議に思い、「コーヒー飲まないの？」と聞くと、友人は「う
ーん、もうしばらくコーヒー飲むのやめようかな」といったんです。
私が驚いて「突然どうしたの？」と聞くと、友人は「最近コーヒ
ー飲みすぎて、夜の眠りが浅くなってる気がして悩んでるんだよね
…」と悲しそうにいうのです。

なるほどね、とのんきに聞いていた私でしたが、その10秒後、
ふとあることに気づき、ハッとしました。
なぜ、私が友人の言葉にハッとしたのかおわかりでしょうか？
結論からいうと、「**コーヒーを飲んで眠りが浅くなってしまう**」
**という言葉は、一見するとコーヒーの弱みを表現しているけれど、
そこには同時に強みも隠れているということに気づいたから**だった
のです。

確かに「コーヒーは眠りを妨げる」という事実は、「しっかりと

眠りたい夜」に発揮されると弱みになってしまいます。

でも、「絶対に寝てはいけない会議」の前ならどうでしょう？

むしろ、「コーヒーは眠りを妨げる」という事実がとたんに心強い「強み」に様変わりするのです。

つまり、この強みも弱みも、突き詰めると「コーヒーには眠りにくくなる"カフェイン"という成分が含まれている」というたった1つの特徴があるだけなんです。

変わったのは、それを私たちが飲むのが「夜眠る前」なのか、「昼の会議前」なのかという状況だけ。コーヒー自体は何も変わっていません。

強みと弱みは表裏一体！

同じ特徴にもかかわらず、使い方によって強みにも弱みにもなるということは、まさに「強みと弱みは表裏一体」といえます。

では、これを自己分析にあてはめると、どうなるでしょうか？
　答えは、「弱みや短所に感じる部分は、視点を変えれば強みにもなる」ということです。例えば、

● **泣き虫な人は感受性が豊かな証拠**
● **慎重な性格はリスク管理能力の高さ**

というように。ここからの自己分析ワークで自分の特徴を書き出す中で、もし「自分には弱みや短所だらけだな」と思ってしまった時は、「**でも使い方によっては強みにもなるんだ**」と思い直してみてください。
　むしろ短所やコンプレックスに感じる部分が多い人は、その分たくさんの強みを見つけるチャンスがあるといえるのですから。

▶ **希少性は強みになる**

またあなたの強みを見つけるときの重要な考え方として、「希少性に注目する」というのも覚えておいてください。
　例えば、採掘量が少ない金やキャビア、フォアグラ、マツタケ…これらが共通してなぜ価格が高いのかというと、市場に多くの数が出回っていない、かつその美しさや味を求める人が多いからです。
　需要に対して供給が少なければ、おのずと価値は高くなります。

ではこれを「人の場合」に置き換えると、どうでしょう？

　仮に、あなたに「事務職を5年やっていて基礎的な事務スキルがある」という特徴があるとします。

　もしあなたが、この「特徴」を強みにしよう！と思ったら、どうしたらいいでしょうか？

　答えは簡単。「その特徴の希少性が上がる環境に行くこと」です。

　実際、事務員が集まるフロアで、みんなと同じように事務をこなしていても、あなただけが特段褒められたり感謝されたりすることは少ないでしょう。「事務スキルがある集団」の中にいては、あなたの事務スキルは目立ちにくいからです。

　しかし、もしそこから一歩出て「事務作業が苦手な営業部のフロア」に行ったらどうなるでしょうか？

　おそらくあなたはたちまち「あっ、○○さん、この資料作成お願いできる？自分じゃできないから助かるよ」「○○さん、この書類ってどうやって作るんだっけ？普段やらないからわからなくて…」と周囲から引っ張りだこになるでしょう。

　つまり、「自分の特徴を理解していて、その特徴が希少となり価値が上がる環境」を見つけられる人が、「強みを使いこなしている人」といえるわけです。

　このように「どこに行けば自分の希少価値が上がるだろうか？」という考え方を知っておくと、どんな目的に向かうにしても、あなたの中に「強み」となる特徴を見つけやすくなります。

希少性の上がる環境に行こう

▶ 自己分析には主観を入れないことが大事！

　自己分析ワークをするときにとても大事なのは、「こんなの強み にならなさそうだし、わざわざ書かなくてもいいか…」という**主観 をバッサリ捨てること**です。

　そうすれば、どんなささいなことでも「自分の特徴」と捉えて、 大量に書き出して視覚化できるようになります。

　なぜ主観を捨てる必要があるかというと、**自分にとっては当たり 前のことでも、他人から見れば「すごい！」「羨ましい！」「教えて 欲しい」と思うことは本当にたくさんあるからです。**

　例えば飲み会で場を盛り上げられることだって、読書が好きで色 んなビジネス書を読んでいることだって、はたまた子どもの頃から 犬を飼っていて犬のしつけが難なくできることだってそう。どんな ささいなことであっても「それを持たない人」はいて、その人から すれば「知りたい」「おもしろい」「代わりにやって欲しい」と感じ るものです。

　自分にとっては「できて当たり前」「持っていて当たり前」のこ とこそが、誰かの役に立ち、お金に換わる材料になりうるのです。

　だからこそ、「こんなの必要ないよな、売れないよな」と自分で 勝手に判断せず、まずはどんどん自分の特徴を書き出してみること。 これが、自己分析の鉄則です。

　あなたの自己分析ノートは誰かに見せるものでもないので、恥や

思い込みを捨てて、自分の特徴をたくさん書き出してみてくださいね。

▶ 自己分析がうまくいく3つのテクニック

さて、いよいよこれからあなたには様々な自己分析ワークに取り組んでいただくのですが、その前に自己分析の3つのテクニックを伝授しておきます。

---

① 細分化する
② 定量化する
③ 他人との差異を見つける

---

① 細分化する

細分化とはどういうことかというと、「**大きな成果や実績**」だけ**を見るのではなく、それをもっと細かく分けて考えること**です。

例えば「あなたが最近頑張ったことの実績は何ですか？」という質問に対し、「フリマアプリで10件の販売実績があります」という答えが出てくるとします。

この場合、「この実績をそのまま商品にしよう！」と思うと、「10件不要品販売した私が教えるフリマアプリの使い方」という商品にしかなりません。

しかし、その実績をさらに細分化してみましょう。

具体的にいえば、「なぜその実績が出せたのか？どんな知識・ス

キルがあったからその実績が出せたのか？」ということを深掘りして考えてみるのです。

「フリマアプリで10件の販売実績」の理由を細分化してみると

- フリマアプリのサービス概要についての知識
- フリマアプリの登録方法や出品方法の知識
- 売れやすい商品の見つけ方の知識
- 売れやすい商品ページの作り方の知識
- 売れやすい出品時間帯の知識
- 売れやすい価格設定の知識
- 魅力的な商品写真を撮影・加工するスキル
- 興味を引くプロフィールの書き方の知識

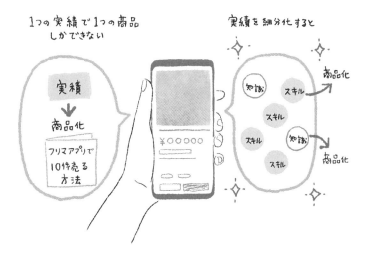

実績が出た理由を細分化してみよう

● **信頼を獲得しやすいコメントでの顧客対応の知識**

など、1つの実績の中には、様々な「売れた要因」があったかもしれません。

　これらは、それぞれが立派なあなたの知識・スキルであり、強みになりえます。

　すると、例えばその中の「魅力的な商品写真を撮影・加工するスキル」を使い、

「フリマアプリで魅力的に見える商品写真の撮影方法教えます」
「インスタ映えする写真加工を代行します」
「印象を上げるプロフィール写真の撮り方を教えます」
「レシピサイトで美味しそうに見せる写真の構図を教えます」

という具合に、いくつもの商品を作り出すこともできるんです。

　このように「1つの実績や成果」を見ても、それにつながった要因を細かく分けていくと、もっとたくさんの強みが見つかる可能性があります。

② 定量化する

　定量化とは、「数字で表してみる」ということです。 先ほど「自己分析には主観を入れずに客観的に見ることが大事」とお伝えしましたが、「数字」というのはもっとも客観的なツールの1つです。

　事実、「1」という数字は誰がどう見ても「1」という数字です。

　人の感じ方・主観によって左右されるということがないので、数

字は自己分析するのにとても有効です。

　例えば、「英語をたくさん勉強しているので得意です！」というよりも、「3ヶ月間300時間勉強したかいがあり、TOEIC800点です」といった方が、あなたの英語力がより正確に伝わります。

　「私は派遣社員の少ないお給料でも結構貯金できています」というよりも、「手取り15万円の派遣社員をしながら月々5万円の貯金を捻出しています」といった方が、あなたのやりくりレベルがより正確に伝わります。

　「趣味で毎週お菓子を作っています」というよりも、「この1年で100種類のお菓子を作りました」といった方が、あなたが作れるお菓子のバリエーションがより正確に伝わります。

　ポジティブな言い方をすれば「たくさん」「そこそこ」「結構」「わりと」、ネガティブな言い方をすれば「この程度」「これしか」「まだまだ」など、**自己分析をする中でこのような主観的な表現が出てきたら要注意です**。人によって言葉のイメージが異なるからです。

　そうではなく、あくまで「主観を入れず客観的に」、誰がどう見ても評価は同じだといえるほど自分の特徴を捉えられれば、「他人とどのくらい差があるのか」が見極めやすくなります。

　仮にあなたが「お菓子作りは趣味だし、人に教えられるほどじゃない」と主観的には感じていたとしても、数字を使えば、「でも1年で100種類のお菓子を作ったのだから、まだ10種類しか作ったことがない初心者の方になら自信を持って教えられるな」と客観的に考えられるようになるでしょう。

この一年で100種類のお菓子を作りました!!

趣味で毎週お菓子を作っていますがまだまだです

定量的に考えると客観視できる!

主観を取り除き、客観的に自分や相手を見ることができる。これが「定量化」の力です。

　あなた自身は「自分には強みがないし、人に販売できる知識やスキルなんてない…」と思っていたとしても、ぜひあなた自身のことを「数字で」表してみましょう。

③　他人との差異を見つける

　「他人と違うところこそ、あなたの強みを活かした商品になる可能性が高い」ということも覚えておきましょう。

　なぜなら、人は「自分にはない・できない」と感じることに対してお金を支払うからです。例えば、

● 私は副業で楽しくお金を稼ぐ方法を知らないから、この「こっそり副業術」という本を買おう
● 僕は美味しいお寿司を握れないから、あのお寿司屋さんに食べに行こう
● 今日の私は疲れて買い物に行く元気がないから、元気な妹にお小遣いを渡して買い物を頼もう

ということ、ありますよね。このとき、「依頼をされる側」には、「こっそり副業術という知識」「お寿司を握るスキル」「買い物に行く体力や時間」があり、「依頼をする側」とは「差異」があります。

　つまり、「他人と自分のどこが違うのか？どこに差異があるのか？」を客観的に見つけることができれば、それだけで自分の強み

は見つかりやすくなるということです。

　以上の3つのコツを意識しながら、実際に次の自己分析ワークを行ってみましょう。

　ワークは全部で4つあります。もし回答に詰まってしまった場合は、巻末にワークの回答事例をたっぷりと載せているので、そちらを参考にしながらできる限り埋めてみてください。

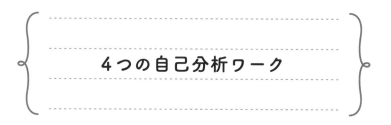

4つの自己分析ワーク

▶ ①プロフィール大解剖ワーク

　まずは「プロフィール大解剖」というワークです。

　やることは簡単。次の3つの表にある項目をひたすら埋めてみてください。目的は、「あなたの特徴」をひたすら大量に書き出すことです。

　繰り返しますが、ここで注意するべきなのは、書く前に頭で「これは強みじゃないし…」と主観を入れてしまわないこと。

　そうではなくて、正しい考え方の順番は、大量に「特徴」を書き出した後に、1つずつ「これはどう活かせば強みになるんだろう？」「どういう人なら喜んでくれるのかな？」と考えていくこと。そこ

からあなたの強みが見えてくるのです。

　なので、「とりあえず項目をびっしり埋める意識」で、とにかく
何も考えずに書き出してみることが大事です。

A. 基本プロフィール編

年齢	
性別	
居住経歴①エリア／年数	
居住経歴②エリア／年数	
居住経歴③エリア／年数	
生まれた家の家族構成	
恋人の有無	
未婚or既婚（既婚の場合は結婚年数）	
子どもの有無	
ペットの有無	

※居住エリアや婚姻歴等、複数あるものは臨機応変にノートなどで行を追加して
記入してください。

B.人生年表〜学生時代・プライベート編〜

	小学校	中学校	高校	専門学校・大学	大学院	社会人
年齢（xx-xx歳）						
通っていた学校						
得意科目／学部・専攻						
部活						
役割・ポジション・キャラクター						
習いごと						
趣味						
アルバイト・副業						
取得資格・実績						
この時期とくに身についた知識は？						
この時期とくに身についたスキルは？						

C. 人生年表〜社会人編〜

	仕事①	仕事②	仕事③	仕事④	仕事⑤	仕事⑥
年齢（xx-xx歳）						
年数						
業界						
職種						
役職or役割・ポジション						
仕事内容						
よく使用するツール・ソフト						
会社規模						
年収						
取得資格・実績						
この時期とくに身についた知識は？						
この時期とくに身についたスキルは？						

※転職や部署移動などにより、複数の仕事経験がある場合はすべて書きましょう。
※専業主婦や無職期間など仕事をしていない時期も同じように書いておきましょう。

いかがでしょうか？

これまで生きてきた歴史を含めて、あなたの特徴が一覧で可視化されましたね。

このワークはとくに家族や友人・恋人など周りの人と共有してみると、意外にも色々な違いが見えてくるのでおすすめです。

▶ **②強みを見つける8つの質問ワーク**

続いてのワークは、「強みを見つける8つの質問」です。

目的は、自由回答のQ&A形式によってあなたの特徴を色んな角度から幅広くあぶり出すことです。

＜手順＞
① まず、次の8つの質問に答えてみてください。
② ①の回答にあたって発揮している、または①の回答によって得られた知識・スキルがあれば書いてください。

	質問	①回答	②知識・スキル
1	人生で「お金をかけたな」と思うことは？　具体的に、何にいくらかけた？（目安：5万円〜）		
2	人生で「時間をかけて取り組んだな」と思うことは？具体的に、何を何ヶ月続けた？（目安：1ヶ月〜）		
3	今まで「これは努力したな」と思うのはいつで、何をしたとき？		
4	なぜか人からよく褒められることは？		
5	職場や友人によく頼まれがち・引き受けがちなことは？		
6	気づくと夢中になっていたり、没頭して時間が過ぎていたりすることは？		
7	よく触れているSNSは？どんな情報を収集している？		
8	あなたの本棚の中で、同じジャンルの本が3冊以上ある場合、そのジャンルは？		

さて、いかがでしょうか？ 1つ目のワークよりさらに「あなたらしさ」が少しずつ見えてきたのではないかと思います。

▶ ③Before & Afterワーク

　次は「Before & Afterワーク」です。

　このワークの目的は、過去のあなたと現在のあなたとの差異を比較することで、身についた知識やスキルをあぶり出すことです。

　ここではとくに「悩み」に絞った質問をしていきます。次の表の8つのジャンルの悩みについて、以下の4つの質問に答えるように埋めてみてください。

Q1　該当ジャンルで以前悩んでいたことはありますか？　ある場合、どんな悩みでしたか？

Q2　その後、Q1の悩みは改善されましたか？　改善されたら○、改善されなかったら×を記入してください。

Q3　（Q2で○がついた項目のみ）悩み改善のためにあなたがやった行動は何でしたか？

Q4　（Q3が埋まった項目のみ）Q3によってどんな知識・スキルが身につきましたか？

	ジャンル	Q1：以前悩んでいたこと	Q2：それは改善された？	Q3：改善のためにやった行動は？	Q4：どんな知識・スキルが身についた？
1	健康				
2	美容 （外見コンプレックスなど）				
3	恋愛、婚活				
4	友人関係				
5	仕事の人間関係 （上司、同僚、部下、取引先など）				
6	家族関係 （夫婦、親子、親族、義理家族など）				
7	お金 （収入、借金、教育資金、老後資金など）				
8	キャリア （就職、昇進、職種転換、転職、独立など）				

※1つのジャンルで複数の悩みがある場合、ノートなどにその分の行を追加してなるべくたくさん記入してください。

　いかがでしょうか？このワークはとくにあなたの商品に直結する
ネタが見つかりやすいので、だんだんとイメージが湧いてきたかも
しれません。

　ちなみに、ここまでのワークで、繰り返し同じ回答が出てくるこ
とはよくあることです。

　「かぶっちゃいけないかも」と思ってしまうかもしれませんが、
**むしろ繰り返し出てくるということは、それだけあなたの中で大き
な特徴であるということです。**

　重複回答になっても、気にせずそのまま書いておいてくださいね。

　それではいよいよ、次が最後のワークです。

▶ ④知識・スキルの表を埋めよう〜自己分析の総まとめ

　それでは、自己分析の総まとめワークです。

　最後は、ここまでの3つのワークの結果をスッキリとまとめてい
きましょう。

　このワークの目的は、実際の商品候補となるあなたの「知識・ス
キル」を整理すること。これまでのワークの回答を見ながら、あら
ためて次の表に書き写す形で埋めてみてください。

	知識	スキル
1		
2		
3		
4		
5		
6		
7		
8		
9		
10		
11		
12		
13		
14		
15		
16		
17		
18		
19		
20		

※左右に相関関係はないので、知識とスキルをそれぞれ上から書き留めるための表です。

　以上で、自己分析ワークは終了です。お疲れ様でした！

　もし回答に不安がある場合、巻末の「回答例」を見て参考にして
みてくださいね。

　思わぬ知識やスキルの引き出しが見つかり、新たな自分との出会
いを楽しめたのではないでしょうか。

　次の第3章では、今回の自己分析ワークの結果をもとに、実際の
商品を作っていきましょう。

当たり前を疑え！ 「24時間の使い方」から意外な強みに気づいた女性の話

　ジュエリー業界で広報の仕事をしていた女性・Tさんは、将来を見据えて、ネットを使った副業をすることにしました。色々な手法を調べたのち、産休・育休に入るタイミングで「何かこれまでの自分のスキルを活かした商品を作って販売してみたい」と私が開催した「こっそり副業術」セミナーに参加してくださいました。

　セミナーで様々な自己分析ワークを行い、グループに分かれて、お互いの回答をシェアしていたときのこと。
　彼女がいたグループから「えーっ！？」と驚きの声が聞こえてきました。

　「どうしたんだろう？」と不思議に思ってシェアの様子を覗きに行くと、Tさんは起きている時間のうち5時間以上が「SNSを見ている時間」でびっしりと埋め尽くされていました。
　それも、毎日です。
　誰もが「そんなに見てるんですか！？」と驚きました。

　ところが、当の彼女は「えっ？　これってみんな当たり前に

やってるんじゃないんですか…？」とキョトンとしていました。
それどころか「周りの同僚はこれくらいチェックしているので
…」というのです。

　彼女は「SNSやニュースでトレンドネタをチェックすること
が当たり前」という「広報の世界」にいるからこそ、その「当
たり前」が他人の「当たり前」ではないことに気がついていな
かったわけですね。
　彼女自身がとても驚いていたのが印象的でした。

　「毎日5時間もSNSを見ていて、そこから何か思うことや、
身についた知識やスキルはありますか？」と聞いてみると、
「実際にお話すると魅力的な方でも、SNSを見るとあまりその
魅力が伝えられていない人が多いなと感じます」との回答が。
　そこで、そんな彼女の強みを活かし、「広報OLがSNSのプロ
フィール添削します」「SNSから見たあなたの印象をフィード
バックします」などの商品を複数出品することにしました。

　彼女がすでにSNSで発信をしていたこともあり、結果として
販売してわずか5日間で10件以上商品が購入され、お客様から
も続々と感謝の声が届いたそうです。

　こんな成果が出せたのも、彼女自身が「**自分にとっての当た
り前は他人にとっての当たり前じゃない**」と気づけたからです。
　自己分析に迷ってしまったら、「他人からの声」を聞くこと

で「自分の思わぬ強み」に気づけることがわかる、ちょっと面白いエピソードでした。

第 3 章

STEP2

強みを活かした

商品作り

第3章では、前章の自己分析ワークで見つけたあなたの知識・スキルを実際にどのように提供するのかを解説します。

この章で学び、ワークに取り組むことで、自然とあなたが販売する商品が浮かび上がる構成になっているので、楽しみながら進めてください。

商品の提供方法

▶ 4つの提供方法を知ろう

知識・スキルを販売するには、具体的に次の4つの提供方法から選択しましょう。

①代行業（やる）
②相談業（聞く）
③先生業（教える）
④共有業（マニュアルにして渡す）

① 代行業（やる）

あなたの知識・スキルを使って、顧客の代わりに何かをやってあげることです。例えば、以下のようなものです。

- 情報の要約スキルを活かして、顧客の代わりにビジネス書を読んでまとめる
- Webデザインの知識を活かして、顧客の代わりにブログのカスタマイズをしてあげる
- 裁縫スキルを活かして、顧客の代わりに幼稚園用の手提げバッグを縫ってあげる

主なメリット：多くの場合、面倒なことをお願いできる代行業はニーズが高く売れやすい
主なデメリット：納期などの期限があることが多いので、ある程度の時間の確保が必要になる

② 相談業（聞く）

　あなたの知識・スキルを使って、顧客の相談に乗り、必要に応じてアドバイスすることです。例えば、以下のようなものです。

- 傾聴スキルを活かして、顧客の愚痴や悩みを聞いてあげる
- 面接官としての経験や知識を活かして、顧客の模擬面接練習に付き合ってあげる
- 本業の知識やスキルを活かして、同業界の顧客の悩み相談に乗りアドバイスする

主なメリット：準備いらずですぐに気軽に出品できる
主なデメリット：顧客との時間調整が必要なため、時間をある程度

柔軟に合わせられる必要がある

③ 先生業（教える）
　あなたの知識・スキルを使って、顧客にセミナー形式で知識を直接教えることです。本業や趣味、日常生活などで培った知識・スキルをそのままプレゼンするイメージです。

主なメリット：感謝の言葉などがダイレクトにもらえるのでやりがいにつながりやすい
主なデメリット：知識をわかりやすく体系化して整理したり、資料作成をしたりするなどの手間が最初に発生する

④ 共有業（マニュアルにして渡す）
　あなたの知識・スキルを使って、顧客にマニュアル形式で知識を直接教えることです。本業や趣味、日常生活などで培った知識・スキルをファイル保存して共有するイメージです。

主なメリット：一度作りさえすれば、あとはほぼ不労で上限なく売上が伸ばせる
主なデメリット：知識をわかりやすく体系化して整理したり、資料作成をしたりするなどの手間が最初に発生する

　それぞれ簡単に説明しましたが、まずは「商品の考え方ってこんな感じなんだ！」と頭に入れておいてください。

▶ 方法別・簡易診断！　どれからチャレンジする？

　商品の4つの提供方法から、あなたが好きなもの、ピンとくるものを選んで商品を自由に考えていきましょう。

　しかし、「一体どの方法がいいのか決められない…」と迷ってしまう方のために、目安として簡単なチェックリストを作ったので、こちらもぜひ参考にしてください。

【どんな提供方法が向いている？簡易診断】

　次の文章を読み、「自分に当てはまる！」と思うものにそれぞれチェックを入れてください。

① 代行業（やる）が向いている人は…

　□ ① 副業する時間は比較的多めに確保できる
　□ ② 納期などの目標があると頑張れるタイプだ
　□ ③ 「これは任せて」といえる分野がある
　□ ④ 細かい気配りや、ニーズを読み取り先回りした提案などは
　　　　得意なほうだ
　□ ⑤ どちらかというと人と一緒に仕事を進めるより、マイペー
　　　　スにやりたい

② 相談業（聞く）が向いている人は…

- ☐ ⑥　時間は比較的確保でき、顧客に柔軟に合わせられる
- ☐ ⑦　人の話を聞くのが好きまたは得意なほうだ
- ☐ ⑧　人よりも共感力が高いといわれるまたは自分で感じる
- ☐ ⑨　問題解決の方法を考えるのが好きまたは得意なほうだ
- ☐ ⑩　周囲の人によく相談されることがある

③ 先生業（教える）が向いている人は…

- ☐ ⑪　話すことが苦ではない、または得意なほうだ
- ☐ ⑫　顔や本名を出すことにあまり抵抗がない
- ☐ ⑬　人にわかりやすく伝えるのが得意なほうだ
- ☐ ⑭　本を読んだり、知識を学ぶことが好きなほうだ
- ☐ ⑮　仕事や学生時代に人に物事を教えた経験がある

④ 共有業（マニュアルにして渡す）が向いている人は…

- ☐ ⑯　人にわかりやすく伝えるのが得意なほうだ
- ☐ ⑰　文章を書くのが苦ではない
- ☐ ⑱　本を読んだり、知識を学ぶことが好きなほうだ
- ☐ ⑲　情報をまとめたり、図解するなどの作業が苦ではない
- ☐ ⑳　まとまった作業時間が取りづらい生活サイクルだ

いかがでしたか？　もしも迷ったら、一番多くチェックがついた

ものから始めてみるのがおすすめです。あなた自身がより楽しみな
がら継続することができると思います。

商品はどう作る？

▶ 商品を作る公式

　商品の提供方法を理解したところで、実際の商品を決める段階に
うつります。

　あなたの強みを活かした商品を作るには、この公式を使います。

あなたの知識・スキル　×　提供方法　×　ターゲット　＝　商品

▶ 提供方法を変えれば、まったく別の商品になる！

　例えば、第2章の自己分析によって、あなたは「どうやら自分は
人の話を聞くのが得意かもしれない」と判明したとします。

　そこで、あなたがその「傾聴スキル」を活かして商品を作りた
い！と思った場合、提供方法別に次のような商品を考えることがで
きます。

① 「傾聴スキル」×「代行業」＝インタビュー取材代行
② 「傾聴スキル」×「相談業」＝カウンセリング、コーチング
③ 「傾聴スキル」×「先生業」＝傾聴力アップセミナーを開催
④ 「傾聴スキル」×「共有業」＝傾聴力アップ法をテキストや動画
セミナーなどのマニュアルに変えて販売

　いかがでしょうか？　同じ知識・スキルであっても、4つの提供
方法のどれを選択するかによって、作る商品がガラッと変わります
ね。

▶ その商品、誰が喜ぶ？　ターゲットを決める重要性

　商品作りの公式を使って、作れそうな商品の候補が出てきたら、
次にやることは、「それを誰に売るか？」を決めることです。

　例えば「化粧水」を作るにしても、「女性向け」か「男性向け」
かで、成分・容器・パッケージ・宣伝用のキャッチコピー・CMで
使うタレントなどは当然変わりますよね。
　一般的な傾向をいえば、「女性向け」であれば可愛らしく、お部
屋に置いてもオシャレなデザインのものが売れやすくなりますし、
逆に「男性向け」であれば可愛いデザインよりもクールで機能的な
デザインの方が売れやすくなります。

　さらにいえば、同じ「女性」であったとしても、「10代学生」「30
代会社員」「50代主婦」などによっても、買いたくなるポイントは

それぞれ違うはずです。あくまで一般的な話ですが、ターゲットが
10代であれば良質な成分にこだわるよりも買い求めやすい価格に
した方が売れるでしょうし、逆に30代であれば安さよりも質を求
める人が多くなるでしょう。

「売る側」になろうとすると、ついつい夢が膨らみ、「せっかく自
分の知識・スキルを活かして稼ぐなら、"全員に売れやすい商品"を
作ろう！」と思ってしまいがちです。

ところが、商品に求めるものが属性によって少しずつ異なるから
こそ、「すべての人をまんべんなく満足させる商品を作ること」を
目指すよりも、まずは「限られた人をしっかりと満足させる商品を
作ること」を目指す方が、結果として売れやすいわけですね。

つまり、「誰に売るのか」を決めるからこそ、商品の中身が自然
と具体的に設計されて、より売れやすくなっていく、ということを
覚えておいてください。

▶ ターゲット決めのコツは2段階で考えること

ここまでターゲットを決める重要性をお伝えしてきましたが、じ
ゃあどうやってターゲットを決めていくの？という部分を解説した
いと思います。

とはいっても、考えることはたったの2つ。

① あなたの商品で喜んでくれそう・助かりそうな人はどんな人？

をまずざっくりと考える

② ①について、より具体的に年齢・性別・職業・悩みを考える

　ターゲット決めのコツは、いきなりウンウンうなって考え始める
よりも、このように2段階に順序立てて考えることです。

▶ 使うシーンをとにかく絞り込む！

　第一段階でターゲットがどんな人かを絞り込んだら、次は第二段
階で「ターゲットはどんなシーンであなたの商品を使うのか？」を
具体的に設定していきます。

　先ほどの「傾聴力」を商品にする例（「傾聴スキル」×「先生業」
＝傾聴力アップセミナー）で考えてみましょう。

　まずここで、「この商品で喜んでくれそうな人はどんな人？」と
シンプルに考えてみます。

　すると例えば、「傾聴力がなくて困っている、傾聴力を高めたい
と思っている人」のような回答が出てきますよね。これが一段階目。

　そこでさらに深堀りして、「もっと具体的にいうとどんな人なの
か？」を考えていきます。これが二段階目です。

　「なかなか考えつかない！」という人は、いったん次の4項目を
考えてみましょう。

● 年齢

● 性別

- 職業
- 悩むようになったきっかけ

ひとまずこれなら、具体的で考えやすいですよね。
これを考えてみると、例えば、

- 年齢：35歳
- 性別：男性
- 職業：会社員
- 悩むようになったきっかけ：話を聞くのが苦手だが、仕事を終えて家に帰ると妻が話したそうにしている。話を聞きたい気持ちはあるものの、ついつい疲れていてボーっとしてしまったり、すぐに話をさえぎってアドバイスをしてしまったりして妻の機嫌が悪くなるので悩んでいる。

こんなシーンを想像できます。
　もしこの人に「傾聴力セミナー」を売るのであれば、「妻をご機嫌にする傾聴力セミナー」といった商品になるはずです。
　ところが、

- 年齢：46歳
- 性別：女性
- 職業：主婦
- 悩むようになったきっかけ：思春期の子どもの話をたくさん聞いてあげたいが、最近子どもの口数が少なく、何を聞いても「う

ん」「まあ」「別に」ばかりで、どうしたら会話が増えるのかと
考えている。

といった人に「傾聴力セミナー」を売るとしたらどうでしょう？
　当然、1つ目の例のように「傾聴力で妻をご機嫌に！」といって
も、彼女の心には響きません。ところが、「子どもの言葉を引き出
す傾聴力セミナー」といった商品にすれば、グンと彼女が目を留め
てくれやすくなるはずです。
　イメージはできたでしょうか？
　どちらも「傾聴力がなくて困っている、傾聴力をあげたいと思っ
ている人」向けに「傾聴スキルを教える」という商品ですが、まっ
たく異なる訴求の仕方になりますよね。
　教えることの中身が同じだとしても、このようにターゲットをく
っきり明確にするだけで、「これは私のための商品だ！欲しい！」
と思って購入してもらえる確率は高まります。

　それでは、本章で学んだことのまとめとして、実際に商品を考え
るためのワークを行っていきましょう！

商品を使ってもらうシーンを明確にしていこう

商品作成ワーク

それではワークを通じて、実際に商品を決めていきましょう。
手順は以下の通りです。

① 知識・スキル（第2章のワーク④より）を書く
② 4つの提供方法のうち好きなものを選択する
③ ①と②を掛け合わせたらどんな商品ができるかを書く
④ ③の商品で喜ぶ人は誰か？をざっくり書く
⑤ ④をさらに具体的にするために、4項目を明確に埋めてみる

①知識・スキル	×	②提供方法	=	③商品	④誰が喜ぶ？	⑤具体的には？ ・年齢 ・性別 ・職業 ・悩むようになったきっかけ
	×		=			
	×		=			
	×		=			
	×		=			

	×		=			
	×		=			
	×		=			
	×		=			
	×		=			
	×		=			

　いかがでしょう？

　思ったよりもたくさんの商品の候補が見つかって、わくわくして
きませんか。

　**このとき、頭の中で考えてから書くよりも、手を動かして書きな
がら考えるほうがおすすめです。**「絞り出した1つ」を書くのでは
なく、深く考えすぎずに大量にリストアップした中から選ぶ、とい
うイメージです。

　「タイマーを5分間にセットして、アラームが鳴るまでの5分間は
とにかく手を止めずに書きまくる」などとルールを設けて、あえて
思考を止めないようにする方法もおすすめです。

　こうして大量に書き出すことで、必ず「これやってみたい！」と
思えるものが1つ以上見つかるはずです。

2段階の販売方法

　さて、今あなたの頭の中にはたくさんの商品候補が浮かんでいることと思います。すると次は、「これらを具体的にどうやって販売していくの?」と考えますよね。

　「こっそり副業術」で推奨する販売方法は次の2パターンです。

① スキルシェアプラットフォームに出品
② スキルシェアプラットフォームに出品×SNSで宣伝

　プラットフォームに出品することは共通していますが、②では併せて出品した商品をあなたのSNSアカウントで宣伝することによって、商品が売れる確率やスピードをさらに上げることができます。

　ともあれ、まずは①のプラットフォームに出品完了させることを目指して進めていきましょう。

▶ おすすめプラットフォーム8選

　では、スキルシェアプラットフォームは具体的にどんなものがあ

るの？　という声が聞こえてきそうなので、具体的なサービスを広義のものも含めてたくさんご紹介していきます。

① スキルシェア全般

　代行業・相談業・先生業・共有業のうちすべてまたは複数に適している幅広いプラットフォームです。

● ココナラ：https://coconala.com/

　株式会社ココナラが運営する、ビジネスからプライベート利用まで、個人のスキルをオンラインで気軽に売り買いできる日本最大級のスキルマーケット。

　ユーザーの声を数多く取り入れ、直感的に使いやすいサイト設計が特徴です。「とても稼ぎやすいと感じる。サービスの知名度がある上にTVCMなどの露出もあり、出品しておけば全国各地からの販路ができるのが魅力」「家事や仕事の合間に好きなこと・得意なことで誰かの役に立っていると実感が持てて嬉しい」と好評で、ユーザー数が年々増加し続け、リピート利用率も高いので、はじめてスキルシェアを開始される方でも比較的短期間で収益化しやすいプラットフォームです。

　ここ数年は企業や個人事業主向けの動画制作・資料作成・SNS運用や画像加工などWebスキルを活かしたサービスや、キャリア、ファッション、美容などをより気軽に相談できるサービスなどの需要が高まっているそうです。

　幅広いジャンルで膨大なサービスが出品され、自身の知識やスキ

ルの関連ワードで類似サービスが見つかりやすいため、まずはリサーチがてら一度検索してみましょう。

● **REQU by Ameba：https://requ.ameba.jp/**

　株式会社サイバーエージェントが運営する、「個性を価値に」を実現するスキルシェアプラットフォーム。

　出品できるサービスには、①購入者の要望に応えるオーダーメイド商品、②有料記事、の2種類の商品形態があり、幅広くサービスを出品できるのが魅力です。

　出品者向けアプリでスマホから簡単に商品の販売管理ができるため、仕事や家事のスキマ時間に気軽に作業できるのも嬉しいです。

　また、サイバーエージェント社の国内最大級のブログサービス「Ameba（アメーバ）」とのアカウント連携ができるのも大きなメリットです。プラットフォームにサービスを出品するだけでなく、同時にAmeba（アメーバ）ブログで発信を行うことでより自分のサービスの認知が広がれば、初心者でも売上をあげやすくなります。

　とくに有料記事の執筆はブログとの相性が非常によく、有料記事のスキル提供をしているならぜひブログ投稿をセットで運用するのがおすすめです。

● **タイムチケット：https://www.timeticket.jp/**

　株式会社タイムチケットが運営する、個人が気軽に自分の時間を売買できるサービス。

「時間を売る」というコンセプトのため、スキマ時間で稼ぎたい人・固定時間で働くことが難しい人には取り組みやすいです。

専門資格や実務経験がなくても、自分の「好き」や「スキル」を自分自身で価格設定し販売することができます。現在〜過去の自分を棚卸しして、眠ったままになっているスキルをどんどん販売してみましょう。

対面、オンライン、電話、メッセージなど取引形式を自由に選べるのも嬉しいポイント。日ごろの生活では出会うことのないような人との出会いが広がり、生活が充実するという副次的なメリットもありそうです。

実際の利用ユーザーからは「好きなことをやってお金をもらえることが本当に嬉しい」と、好きや得意を活かせる喜びを実感する声が上がっているそうです。

② 請負・受託
とくに代行業に適しているプラットフォームです。

● **クラウドワークス：https://crowdworks.jp/**
株式会社クラウドワークスが運営する、企業と個人がオンラインで直接つながり仕事を受発注できる、新しいオンライン人材マッチングプラットフォーム。

企業向けのスキル販売が中心で、仕事カテゴリはなんと200種類以上。ほんの一例を挙げると事務、ライティング、画像や動画制作、デザイン、マーケティングなど、そのほかにも多岐に渡るジャンル

で柔軟に仕事を受注ができます。

国内シェア・取引額・ユーザー数ナンバーワンを誇り、利用したユーザーからは「一か所で働くリスクを考えて始めたが、自分の時間を調整して働けるのがメリット」「趣味や本業での経験が活きたり、新しいチャレンジをする機会にもなっている」などと高評価を得ているそうです。

また、マッチングの場を提供するだけでなく働く力をオンラインで身につける「クラウドカレッジ」を同社が運営していることも特徴です。

オンラインでスキルアップできるプログラムや、仲間とつながるコミュニティなどの環境も整備されているので、興味がある人は活用してみてもよいでしょう。

● **ランサーズ：https://www.lancers.jp/**

ランサーズ株式会社が運営する、日本初・日本最大級のクラウドソーシングサービス（クラウドソーシングサービス＝オンライン上で業務委託するサービス）。

特徴は、「自分にピッタリの仕事に出会える仕組み」が用意されていること。

具体的には、無料の会員登録時に過去の経験やスキルを登録すると、約210万の案件からおすすめの案件をメールやマイページを通じてお知らせしてくれます。

また、登録したプロフィールを見た依頼主から直接依頼がくることも。さらには、ジャンルや業種、報酬の受け取り方など自分の好

きな検索条件を設定し、自分で希望の案件を探して応募することも
できます。

③ セミナー開催
　先生業に適しているプラットフォームです。

● **ストアカ：https://www.street-academy.com/**
　ストリートアカデミー株式会社が運営する、教えたいと学びたい
をつなぐまなびのマーケット。
　集客からファンコミュニティ化まで、ストアカ内でワンストップ
に実現できるのが特徴です。54万人以上の登録ユーザー数を誇り、
サイト内集客がしやすいのはもちろん、多彩な収益オプションが用
意されていることでその後のアフターフォローやアップセルまでサ
ポートしています。具体的には、単発・コース講座に加え、月額サ
ービス（サブスクリプション機能）も完備しているため、一度受講
して満足してくれた生徒（顧客）がリピーターになる仕組みが作り
やすくなっています。
　直接教えた生徒（顧客）からのレビューや評価が講師（出品者）
の実績として蓄積されるため、やればやるほど講師としてのブラン
ディングを確立できるのも魅力です。
　とくに女性にはメイクやパーソナルカラー診断などの自分磨きの
ジャンル、男性にはビジネススキルや起業・副業といったジャンル、
男女ともにカメラやアートのような趣味・ライフスタイル系ジャン
ルも人気だそうです。

まずは趣味や家事、仕事で培ったスキルを教えることから簡単に取り組んでみましょう。

④ マニュアル販売

共有業に適しているプラットフォームです。

● note：https://note.com/

note株式会社が運営する、文章・画像・音声・動画を使って、誰もが好きなことを表現できるメディアプラットフォームです。

無料記事の投稿が中心ですが、記事を有料化する機能もあるため、個人のスキルや知識をコンテンツにして販売することもできます。

見やすくシンプルなデザインで直感的な操作が可能で、多くのクリエイターが集まっているのが特徴です。

こっそり副業のようにコンテンツの販売を目的に使用する以外にも、日記や趣味・学びの記録などだれもが創作を楽しんで続けられるよう、安心できる雰囲気や多様性が重視されています。

● Brain：https://brain-market.com/

株式会社ブレインが運営する、知識に値段をつけて自由に売買できる知識共有プラットフォーム。

とくに特徴的なポイントは、「紹介機能」。出品者が知識をマニュアルとして販売できるのはもちろんですが、さらにその商品を「いいな」と思った購入者が友人におすすめしたりSNSなどで紹介できる専用のリンクが発行できます。その紹介リンク経由で購入される

とおすすめした購入者に何割かの報酬が入るため、いいものを作れ
ばどんどん売上があがりやすい仕組みとなっています。

　また、紹介機能を支える「レビュー機能」は、実際に購入した人
がコメントを書き込むことができる仕様になっているため、いいレ
ビューを増やすように内容を充実させたりレビューを促すなどの工
夫をすれば、プラットフォーム上でも紹介機能経由でも売れやすく
なっていくので、初心者でも売上アップを狙いやすいといえるでしょ
う。

　2020年のリリースからわずか1年で年間流通額10億円、ユーザー
数約2万人突破と勢いがあり、今後も成長が期待できる注目のプラ
ットフォームの１つです。

　参考までに以上8個のプラットフォームの特徴をわかりやすく一
覧にしておきます。
　あなたが販売したい商品に適したプラットフォームを選んでみて
くださいね。

プラットフォーム名	URL	①代行業	②相談業	③先生業	④共有業
ココナラ	https://coconala.com/	●	●	●	●
REQU by Ameba	https://requ.ameba.jp/	●	●	●	●
タイムチケット	https://www.timeticket.jp/	●	●	●	
クラウドワークス	https://crowdworks.jp/	●			
ランサーズ	https://www.lancers.jp/	●			
ストアカ	https://www.street-academy.com/			●	
note	https://note.com/				●
Brain	https://brain-market.com/				●

▶ プラットフォームはルールを守って正しい使い方を！

　各プラットフォームの特徴をご紹介しましたが、ここであなたに気を付けていただきたいことが1つあります。

　それは、各プラットフォームの運営ルールや利用規約をしっかり守ること。

　意外と多くの人がルールの確認を忘れてしまうのですが、ここを徹底しておかないと、あなたのとっておきの商品を販売しても、またそれが売れていたとしても、**ある日突然出品停止やアカウント停止などの処分になってしまうこと**もあります。

- **どんなものなら出品OKで、どんなものはNGなのか**
- **販売ページにどんな文言なら書いてOKで、どんな文言はNGなのか**

などがしっかりと明記されている「使い方ガイド」を必ず一度は確認してください。

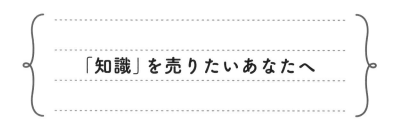

「知識」を売りたいあなたへ

　P.62で、商品には①代行業（やる）、②相談業（聞く）、③先生業（教える）、④共有業（マニュアルにして渡す）、の4つの提供方法があるとお伝えしましたね。

　この中で、③先生業や④共有業のように「知識」を販売する提供方法を選んだ方は、「自分の頭の中にある知識をどのように商品にアウトプットしたらいいのかな？」と迷う方もいるかもしれません。

　そこで、「知識」をわかりやすく整理してまとめる方法についても解説しておきます。

　そのため、提供方法で①代行業や②相談業を選択した方は読み飛ばしても構いません。

▶「知識」をマニュアルにする方法

　先生業としてプレゼン資料を作る場合や、共有業として販売するマニュアルを作る場合は、以下の5ステップであなたの持つ知識を整理し、形にしていきましょう。

① 商品の目的を決める

　顧客がこのマニュアルを受け取ることによって、どのような変化を期待できるのかを決めます。つまり、顧客のBefore→Afterを設定するというイメージです。

　本書でいえば、

　読者のBefore：副業をやってみたいとは思っているが、まだ踏み出せていない

　読者のAfter：今すぐできる『こっそり副業術』を学び、気軽に副業がスタートできる（このAfterが本書の目指す目的です）。

② 大まかな手順を大項目として書き出す

　顧客が目的にたどり着くための大まかな手順を、必要な順番で書いてみましょう。

　本書でいえば、第1章で紹介した、「こっそり副業術」に必要な以下の3ステップを書き出す、ということになります。

STEP 1. 自己分析で強み探し
STEP 2. 強みを活かした商品作り
STEP 3. 販売ページを作っていざ販売！

③ 手順を細分化した中項目を書き出す

　②で書き出した「顧客が踏む手順」をさらに具体的なTo Doリストに落とし込みます。

　本書でいえば、例えばSTEP 1. の「自己分析で強み探し」なら、これをさらに細分化して、

1. 自己分析の重要性を理解する

2. 自己分析のコツやテクニックを学ぶ

3. 実際に自己分析のワークに取り組む

という具合にリスト化します。

④ 適した手段で情報をまとめる

　③でリストアップした中項目（To Doリスト）の詳細説明を、適した手段でまとめます。その際は、テキスト、音声、動画、画像（図解）など、「こうやって伝えたら一番わかりやすいな」と思える手段でまとめていきましょう。

　本書でのSTEP 1. の「自己分析で強み探し」なら、

1. 自己分析の重要性を理解する

➡自己分析はなぜ重要かというと～～という内容を図解で説明する。

2. 自己分析のコツやテクニックを学ぶ

➡自己分析のコツは3つあります。1つ目は～～～という内容をテキストで説明する。

3. 実際に自己分析のワークに取り組む

➡それではワークを4つやっていきましょう。1つ目は～～とワーク表を載せる。

という具合に、適した手段で詳細を肉付けしていきます。

⑤ 提供に適した形式に保存する

④でまとめたマニュアルを、顧客へ提供できる形式に保存します。

例えばテキストファイルならpdfファイル、Webでやりとりする画像ファイルならpngファイル、YouTubeなどにアップロードする動画ファイルならmp4ファイル…などが一般的ですが、くわしくは利用する各プラットフォームのルールに従ってください。

▶ **わかりやすい！　と思われるマニュアル作り3つの注意点**

マニュアルができあがったら、最後に下記の3点をチェックしてみましょう。

● **情報のヌケモレがないか？（必要な情報が抜けていないか？）**
● **中学生でもわかるシンプルな言葉を使えているか？（難しい専門用語ばかりになっていないか？）**
● **「ノウハウ」を語るときは「なぜそうなのか？」という根拠とセットになっているか？**

上記すべてにチェックが入っていれば、初めてでも「わかりやすい！」といわれるマニュアルが作れている目安になります。

最初はごくごく簡単な知識やノウハウをまとめるだけでもOK！

今までに読んだ本や、人から聞いた話、本業や趣味から学んだことなどをメモがてらまとめておく→それをついでに共有（販売）する、という気軽なスタンスでまずは十分です。

「完璧じゃない私」だからこそ
売れた！　自信が持てない
ワーママさんの初報酬の裏側

「私って本当に何のとりえもないんです…」

　「こっそり副業」を始める前には、そんなふうに不安げな表情でご相談してくださる方がたくさんいらっしゃいます。

　でも、そうおっしゃる方というのは決まって「他の人みたいにすごい実績や特技がなくて」と、「すでに大きな実績を残している人たち」と比べている傾向があります。

　例えば、「料理が好きだけど、Instagramではものすごく豪華な料理をアップしている主婦の方がいるし」とか、「趣味でこんなスポーツをやっているけど、私よりもっとうまいベテランの人はいるし」といった具合です。

　ですが、私はいつも「**難しく考えず、本当にちょっとしたことから始めてみませんか？**」とご提案しています。

　私のお客様で、地方でワーキングマザーをしているMさんという女性も、やはりそんな悩みを抱えた一人でした。

　「昔から特技や趣味がなくて」とか、「大した実績がなくて」とか、「本当に普通の田舎の主婦なんです…」と、いつもどこ

か自信なさげにされていました。

　そんな彼女も自己分析をする中で、ふと「そういえば、周り
の人から時々、**字がきれいだねって褒めてもらえることがある
な**」と気づいたそうです。

　さらには「仕事でお客様対応をしていると、**“心のこもった
丁寧な対応をしてくださってありがとうございます”、といっ
てもらえることが何度もあるな**」ということも明らかになりま
した。

　そんな彼女のちょっとした強みを活かし、出品してみたのは
「ファンレターの代筆サービス」。

　書道の有資格者などといった「いかにもかしこまった完璧な
文字」じゃないからこそ、温かみがあり「気持ちを伝えるお手
紙」には活かせるかもしれない、と思ってのことでした。

　すると、SNSでの宣伝などは一切していなかったものの、ま
さにドンピシャのターゲットの方がすぐに現れ、プラットフォ
ームから彼女の商品を購入してくれたのです。

　お客様に購入理由を尋ねると、商品の内容はもちろんですが、
**購入前に疑問点を問い合わせしたときのMさんの対応がとても
丁寧だったことも大きな決め手だった**ようです。

　まさに「完璧じゃない温かみのある文字」「心のこもったお
客様対応」という彼女の何気ない強みが活きた受注エピソード

だったな、と今思い出しても心が温まります。

　ちなみに彼女は「この経験をもとに、自分のように何のとり
えもないと思っている人の自己分析や商品作りのお手伝いがし
たい！」といって新たな商品を販売され、フルタイムのワーキ
ングマザーで忙しい中、とてもイキイキと楽しそうに副業をさ
れていて、自信なさげにうつむいていた頃のMさんとは別人の
ようです。

　「自分には何もない」という思い込みを捨て、**「人からちょっ
と褒められること」**や**「ついついやってしまう好きなこと、得
意なこと」**から、小さな商品を生み出していきましょう。

第 **4** 章

STEP3

販売ページを
作っていざ販売!

さて、こっそり副業術もとうとう最後のステップになりました。

STEP 1. 自己分析、STEP 2. 商品作りときて、STEP 3. は「販売」です。これまで考えてきた商品をいよいよ実際に世に出していきましょう。

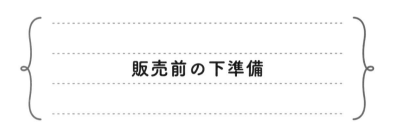

販売前の下準備

▶ 類似商品のリサーチ

「商品ネタも決まったし、よし出品だ！」と勢いよく出品してもいいのですが、「より売れやすくする＋αの下準備」のポイントをご紹介しましょう。

それは何かというと、類似商品のリサーチです。

今から自分が出品しよう！　と思っている商品と同じようなものが、すでに世の中にあるのかどうか？　あるとすれば、それは売れているのか？　を調べておくことで、「このくらい売れるニーズがありそうだな」とあらかじめ予想することができます。

リサーチの方法はいたってシンプル。あなたが出品するプラットフォームを開き、キーワードやジャンル検索で、類似商品を調べてみましょう。

＜リサーチポイント＞

● 類似商品があるか、ないか

● 商品内容（どんな知識・スキル？／提供方法は？／ターゲットは？）

● 価格

● どのくらいの件数が売れているか

● レビュー評価、感想コメント等から、なぜ売れているか・どこを評価されているか

　目安として、10件以上見ていると、だんだんと「売れている商品の傾向」がつかめてきます。プラットフォームによっては、「売れ筋ランキング」のような形で可視化されているところもあるので、より売れている商品から見ていくようにしましょう。

　そして、ライバルの商品で、「いいな」と思うポイントはどんどんあなたの商品に取り入れてみてください。リサーチすればするほど、売れる確率が高まっていきます。

▶ 類似商品が見つからない時は？

　もし仮に、「自分が出品予定の商品の類似商品が見つからない」という場合はどのように考えたらいいでしょうか？

　まず悩むポイントとしては、この2つですよね。

● 「売れるかどうか」の予測がつきにくい

● 自分が出品するときに内容や価格の参考となるページがなく、販売ページ作成に戸惑う

特に「売れるかどうか」の予測がつきにくいという点に関しては、以下の2つをおすすめしています。

1つ目は、**まずはとにかく出品してみること**。
そうすれば自ずと「需要があるかないか」の答えが手っ取り早くわかります。

2つ目は、**プラットフォーム外で探してみること**。
SNS、Google、Amazonのブックランキングなどで、類似キーワードで検索し、似たような発信者や本がないか探してみるのも手です。

もし類似した発信や本が見つかった場合は、口コミなどもチェックすることで、「このテーマで悩む人はどんな人がいるのか」「どんな悩みが多いのか」などを知ることができます。

また、②自分が出品するときに内容や価格の参考となるページがなく、販売ページ作成に戸惑うという点に関しては、**類似の「ジャンル」や「提供方法」の商品・サービスをチェックして、参考にしてみるのがおすすめ**です。

例えば「お掃除」×「相談業」の類似サービスがないのであれば、類似ジャンルである「インテリア」×「相談業」のページをチェックする。

もし類似ジャンルにも見当たらなければ、「キャリア」×「相談業」のように別ジャンルで提供方法が同じページをチェックしてみてみる、といった感じです。

ジャンルや内容がまるっきり同じような類似サービスが見つから

なくても、「共通点のあるサービス」という点では、広義ではそれ
も類似サービスといえますので、まずはそちらを参考にしてみまし
ょう。

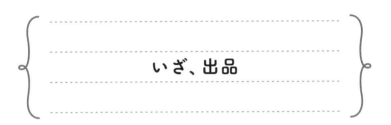

いざ、出品

　さあ、いよいよあなたの商品を世に出す瞬間がやってきました。

　P.76で紹介した中から、まずは興味を持ったプラットフォーム1
つに今すぐ登録してみましょう！

　そして、各プラットフォームのルールや手順に従って出品作業を
進めてください。

　「大変そう」と思うかもしれませんが、出品完了まで今から30分
以内に終わってしまう簡単な作業です。

　ここでは、どのプラットフォームで販売する時にも使える「売れ
る販売ページのコツ」を伝授していきます。

▶ **販売ページに必須の5つの要素**

　せっかく渾身の商品を作ったとしても、その商品の魅力を見込み
客にしっかりと伝えられなければ、売れることはありません。

売れるどころか、ひしめきあうライバルたちの商品に埋もれて、「目に留めてさえもらえない」ということもあります。

では、どうすればあなたの商品の魅力が見込み客に伝わり、購入してもらえるか？というと、「①購入に必要な要素をしっかり伝え、②購入に不要な要素を伝えない」ということです。

商品の中には売れていないものが多くあります。その理由はたいてい①がない、または②をやってしまっているからです。

逆にいえば、この2つのポイントをしっかりと押さえておけば、あなたの商品が売れる確率はグッと高まります。

では、「購入に必要な要素」とは何か？　というと、次の5つです。

① ターゲット：誰のための商品なのか
② ベネフィット：顧客の「Before→After」を示す
③ 根拠：この商品の内容
④ 信頼性：あなたから買うべき理由
⑤ オファー：購入を促す言葉をしっかり入れる

「5行で終わり？」「もっと色々書かなきゃいけないのでは？」と思うかもしれませんが、顧客が購入するかどうかを判断するのには、この5つのシンプルな情報が重要なのです。

それぞれもう少しくわしく解説していきます。

① ターゲット：誰のための商品なのか

「誰のための」商品なのか、を明記するのは非常に重要です。顧客に「この商品はまさに自分のためのものだ！」と感じてもらえたら、目を留めてもらえますよね。

例えば、あなたが「時間がかからずに完成する料理のスキル」を商品化するとしたら、以下のどちらが顧客の目に留まりやすいでしょうか？

A.30分でできる時短料理レシピ5選

B.忙しいワーママでも帰宅後30分でパパッと完成！平日5日間分の
　時短料理レシピ

ターゲットが明確な商品の方が訴求力が高い

もちろんAの表現でも「どんな商品であるか」は伝わるのですが、もしターゲットが「忙しく働くお母さん世代の女性」だとすれば、より「あっ、私のための商品だわ！」と感じるのはBの方でしょう。

　このように、「誰のための」商品なのかを明確にするだけで、興味の持たれ方は一気に上がります。

② ベネフィット：顧客の「Before→After」を示す

　顧客の「Before→After」を示すということはすなわち、あなたの商品を購入することによって、顧客が「どうなれるのか？」を伝えるということです。この「顧客が手にする未来（利益）」のことを「ベネフィット」といいます。

　ベネフィットは、売るときには必須で盛り込むべき事項です。

　なぜなら、人が商品を購入するときは必ず「購入した先の未来」を期待しているからです。

　例えば、私がダイエットグッズをついつい買ってしまうのも、「この商品を購入すれば痩せられる！」と期待するからですし、美容院でトリートメントをするのも「自分には手に負えない髪の毛をきっとキレイにしてくれる」と期待するからです。

　ということは、売る側になるのであれば当然「この商品を使った先にあなたはこんな未来が得られますよ」と、できるだけ魅力的に伝えてあげるべきなのです。

　「得られる未来」をより魅力的に伝えるコツとしては、具体的な

数字や、写真や画像などのイメージを使うことで「得られる変化を
くっきりと明確に想像させてあげること」です。
　例えばダイエットグッズであれば、

● このサプリを食後に飲むことで、脂肪がどんどん減っていきます

といわれるよりも、

● このサプリを食後に飲むことで、体脂肪率30％で悩んでいた人
　が→１ヶ月で体脂肪率5％ダウン！ワンサイズ小さなデニムがす
　っきり入る体型に♪

といわれた方が「痩せる未来」が具体的に想像しやすいですよね。
さらにいえば、

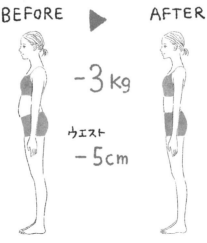

ベネフィットを明確にしよう

- **Before：痩せる前のお腹が出ている姿　→　After：痩せた後の すっきりしたお腹の写真**

のように画像を使って見せれば、よりくっきりと鮮明に「痩せる未来」をイメージしやすくなり、購買意欲はグンと高まります。

③ 根拠：この商品の内容

あなたの商品を購入してもらうには、②で示した顧客の「Before→After」の根拠を説明する必要があります。**なぜなら人は「よくわからないもの」を購入する確率がとても低いからです。**

例えば、ただBefore→Afterを見せるだけだと、「とにかくあなたは１ヶ月後に3kg痩せます！」といわれているようなものです。

これでは、「痩せられたらうれしいな」と期待はするものの、「なんで3kg痩せるの？　一体何をするの？　本当に私も痩せるの？」という部分がまったく不明瞭なので、購入には至りにくいでしょう。

そうではなく、例えば、「私が実際に試して、１ヶ月で5kg痩せた食事メニューを公開します！　そっくりそのままレシピ通りに真似してもらえれば、あなたも１ヶ月で3kg減を目指せます」といわれれば、「なるほど、痩せやすい食事メニューを教えてくれるんだ。ただレシピを真似すれば痩せるなんて、簡単そう！　知りたい！」という気持ちになるわけですね。

④ 信頼性：あなたから買うべき理由

「あなたのための商品ですよ」とターゲットを明確にし、「得られる未来」（ベネフィット）を明確にし、商品の内容を示したら、あ

とは「なぜ自分から買うべきなのか」をしっかりと記載しましょう。

なぜなら、同じような内容の商品が存在する中で、ターゲットに「あなた」を選んでもらう必要があるからです。

具体的には、以下のような情報です。

● 商品開発ストーリー
　（●●という経験からこの商品が生まれた等）
● あなたの信念
　（こんな人を増やしたい、こんな人を減らしたい、こんな世の中になったらいいな、こんなことで役に立ちたいと思っている等）
● あなたの持っている知識・スキル・実績
　（こんなことができる・知っている、こんなことが得意、人からこうだと褒められる、今までにこのような実績がある等）

例えば、あなたが「彼氏とケンカが多くて悩んでいるあなたへ、恋愛相談に乗ります」という商品を販売しているとします。

このままだと何だか味気ないですが、そこに以下のような情報が添えてあったらどうでしょうか？

● 昔は自分もパートナーとケンカが多くて悩んでいたが、接し方を変えたら格段にケンカが減った経験がある（商品開発ストーリー）
● ケンカが耐えなかった頃は毎日自己否定ばかりでつらかった。このような経験から、「しなくてすむケンカは減らして、幸せなお付き合いをする人が増えて欲しい」と思っている（信念）
● ケンカを何とか減らしたいと思い、恋愛本やパートナーシップ

に関する本を10冊以上読んで勉強した。その結果、うまくいく人間関係の作り方が理解できるようになった（知識）
- 仕事では面接官をやっており、人の話を聞くのも得意だったので、学んだ知識をもとに友人の恋愛相談に乗るようになった（スキル）
- その結果、相談に乗った友人の80%が「関係が改善できた！」と感謝してくれたので、今回の相談サービスを始めることにした（実績）

いかがでしょうか？

あなたの商品の信頼性が一気に上がったと思いませんか？

「信頼して購入してもらうために何を伝えるか」という意識を持つことで確実に売れやすくなりますし、仮に今後あなたのライバルとなる商品が出てきても負けにくくなります。

⑤ オファー：最後に購入を促す言葉をしっかり入れる

最後に重要なのは、「オファー＝購入の背中を押す」ということです。

なぜなら、人は「今すぐにでもどうにかしたい！」という切羽詰まった状況でなければ「まぁ、後でいいや」と後回しにしてしまうからなんです。

具体的には、以下の3つの要素を含めるといいでしょう。

A.理想の未来の提示

（この商品を購入するとどうなるのか。②Before→Afterの、Afterの部分を再度伝える）

B.緊急性

（「今」買うとこんなにいいことがある、買わなければこうなって しまう）

C.限定性

（ここでしか買えない、今しか買えない、販売数に上限がある）

例えば、先ほどの「ダイエット食事マニュアル」の例でいえばこ のような感じです。

この食事メニューを手に入れて、１ヶ月後にはぜひスリムな身体を体感してください♪ （**A.**理想の未来の提示）

今から食事を改善しておけば、無理なダイエットなしで今年の夏は憧れの水着を着て海に行けるでしょう。しかし、始めるのが１ヶ月遅れてしまうと、もう今年の夏休みの思い出には間に合いません！ （**B.**緊急性）

発売記念キャンペーンで、このダイエットメニューを先着10名様まで限定で500円で販売します。以降は定価の1,000円にて販売しますので、お早めにお申込みください。 （**C.**限定性）

いかがでしょう？普通にサラっと販売されるよりも、「今買わな いと！」という気持ちが強まることがわかっていただけましたか？

▶ より魅力的な販売ページに仕上げる3つのコツ

販売ページに必要な5つの要素を紹介しましたが、加えてより魅

力的な販売ページに仕上げるコツを以下に3つ紹介します。

① 具体的な数字を使う
② メリットではなくベネフィットを伝える
③「興味ワード」を入れる

それぞれくわしく解説しましょう。

① 具体的な数字を使う
　文章によって相手を動かしたいときには、数字を使って具体的に伝えることを意識しましょう。
　なぜなら、抽象的な表現では相手の主観によっては解釈のズレが生じてしまうから。一方で、数字はとても客観的な表現ですよね。

　例えば、あなたが不眠に悩んでいるとします。
　なかなか寝付けない。やっと眠れても眠りが浅く、夜中に何度も目が覚めてしまう…。こんな状況の中、「私がぐっすり眠れるようになった秘密を教えます！」といわれるのと、「1日8時間、一度も起きることなく快適に熟睡できた秘密を教えます！」といわれるのでは、どちらの商品の方があなたの悩みをバッチリ解決してくれそうだ、と感じるでしょうか？
　同様に、

● 「心理学の本をたくさん読んできました」よりも「心理学の本を30冊読んだ私がアドバイスします」

- 「婚活を始めてすぐに結婚できました」よりも「婚活を始めて1ヶ月でスピード婚を叶えました」
- 「長年、人事の仕事をしています」よりも「人事歴10年、面接のプロです」

どれも数字を使った後者の表現の方がずっと具体的で伝わりやすく、信頼性が上がりますよね。このように、数字で「誰が見ても信頼できる根拠」を伝えるように意識しましょう。

② メリットではなくベネフィットを伝える

メリットとは、「利点」のことです。わかりやすく言い換えると、あなたの商品の特徴・良い点のこと。

一方、ベネフィットは「利益」のことです。こちらも言い換えると、**あなたの商品によって顧客が得られる良い未来**のこと。

商品を売るときには、「メリット」よりも「ベネフィット」を伝えるのがとても重要です。例えば、

この目覚まし時計は自動的に繰り返し鳴るスヌーズ機能があり、ついつい寝ぼけて目覚ましを止めてしまうあなたも確実に起きて「うわーやばい、遅刻する！」とバタバタ慌てることのない優雅な朝を過ごせます。

とあったとします。この文章を例に解説すると、

- **メリット：自動的に繰り返し鳴るスヌーズ機能がある**

● ベネフィット：「遅刻する！」と慌てない優雅な朝を過ごせる

となります。このように、顧客が興味を持つのは、「この商品にどんな利点があるか」よりも、その先に「これを使うと自分は一体どんな利益が得られるのか」という部分なのです。

　販売ページを書く際には、ぜひ随所にベネフィットを光らせてみてください。

③　「興味ワード」を入れる

　最後のテクニックは「『興味ワード』を入れる」。文字通り、「興味を引く言葉を文章に入れること」という意味です。

　まず結論からいうと、商品を売るときには何より「まずは興味を持たれること」が非常に大事です。

　なぜかというと、人はびっくりするほど他人に興味がなかったり、何かを読んだり行動するのが面倒だと思う生き物だからです。

　例えば、あなたが道端を歩いている時に、全然知らないお店の前で「この化粧水を使うと美肌になれるんですが、買いませんか？」とただいわれたとしても、そこまで強烈な興味は持ちませんよね。

　でも、もし、こういわれたらどうでしょうか？

　あなたの憧れている女優の●●さんが愛用！毎日たった30秒一塗りするだけで「つるぴか卵肌」になれる化粧水を試してあなたも●●さんに近づいてみませんか？

　…どうでしょう？先ほどの文章と比べて、反応する人は増えたのではないでしょうか？

　なぜ、同じ化粧水に対して言葉を少し変えただけで心が動いたかというと、「あなたの興味を引く言葉」を使っているからです。

　これが「『興味ワード』を入れる」ということです。

　具体的にどのようにすればいいかというと、例えば以下のような要素をタイトルや販売ページの冒頭に入れてみましょう。

● **有名人や著名人など信頼性の高い人や組織の名前を入れる**
　例）人気タレント●●さん愛用／●●大学教授も太鼓判！　など

● **顧客の悩みをズバッと言い当てる**
　例）●●という悩みをお持ちのあなたへ／「最近●●だなぁ」と感じていませんか？　など

● **簡単さ、手軽さを強調する**
　例）たった●●するだけで／１日３分やるだけで　など

● **悩み解決までの速さ、スピードを強調する**
　例）わずか７日後には／ものの１０分で　など

● **新しさを強調する**
　例）日本初／業界初／新常識／常識をくつがえす●●　など

● **ベネフィットを強調する**
　例）もう二度と●●で悩まされることはありません／●●な未来はすぐそこです　など

　いかがでしょうか？ちなみに、この「興味ワード」は、文章全体

に使うのも効果がありますが、**とくにタイトルやサムネイル画像、販売ページの最初の数行など、なるべく冒頭で使うことを心がけて**みてください。

　なぜなら、人は最初に興味を持たなければ、その先は読まないからです。

① まずは出会い頭で興味を引く
　↓
② 中身を読んでもらい、どのような商品か理解してもらう
　↓
③ 最後に購入の背中を押す

　こんな販売ページを意識して作っていきましょう。

　以上、たった3つのポイントを抑えるだけで、さらに売れやすい販売ページに早変わりするので、ぜひ試してみてください。

▶ 魅力的なプロフィールの作り方

　ネット上であなたの顔も名前も知らない、あなたと会ったことがない相手にお金を出して商品を購入してもらうには、**そもそも「自分がどんな人なのか」をしっかりと伝えることがとても重要です。**

　そこで、魅力的なプロフィールの作り方についてもお伝えしていきましょう。魅力的なプロフィールの必須要素は以下の3つです。

① 「信頼できる人」を連想させる外見
② 客観的な実績や知識・スキル
③ 信念・人柄が伝わるストーリー

① 「信頼できる人」を連想させる外見

　意外と見落としがちな部分ですが、「"自分"という人」を信頼してもらうためには、まず大前提として「人」を連想させるプロフィールを作ることは重要です。

● 名前を人の名前にする

　名前自体は実名でも、実名風のビジネスネームでも、ニックネームでも構いません。

　しかし、ここで極力避けたいのは、「abcdefg111」のような、意味のない英字や数字の羅列にしてしまうこと。また、難解な漢字や読みにくい英単語などを使ってしまうことです。

　なぜなら、「人の名前」である印象を感じず、とても無機的な印象を与えてしまうからです。

　もちろん「致命的に売れない！」とまではいいませんが、「この人は信頼できそうだな」と思ってもらうための一工夫をするに超したことはありません。

● プロフィール画像は「顔の見える人物写真」or「アイコン」にする

　NGプロフィールでありがちなのは、風景の写真や、食べ物の写真、動物の写真など「人ではないもの」をアイコンにしてしまうこ

OK プロフィール

出品者のプロフィール

山田あい

実績	○○○○○○○○○ ○○○○○○○○ ○○
	○○○○○○○○○○○○○○○○○○○
知識	○○○○ ○○○○○○○○○○○○○○○
	○○○○○ ○○○○○○○○○○○○
スキル	○○○○○○○○○○○○○○○○
	○○○○○○○○○○○○○○○○
信念	○○○○○○○○○○○○○○○○○○○
	○○○○○○○○○○○○○○○

NG プロフィール

出品者のプロフィール

abcdefg111

本業はOLで趣味はピアノです。
よろしくお願いします。

プロフィールで「信頼感」をアピールしよう

とです。こちらも「信頼できそうな人だ」と連想してもらうには弱いですよね。

　顔出しが必須というわけではありませんが、最低でも顔の一部や雰囲気が見える人物写真（フリー素材でもOK）やアイコンは設定しておきたいところです。

② 客観的な実績や知識・スキル

　プロフィールにおいて、あなたが「何ができる人なのか」「何にくわしい人なのか」を伝えることは非常に重要です。

　これはP.97「販売ページに必須の5つの要素」の項で「④信頼性：あなたから買うべき理由」としても触れましたが、販売ページだけでなくプロフィールページにもしっかりと記載をしましょう。

　あらためておさらいすると、ここで記載するべきことは以下のような内容です。

- **こんなことができる、知っている**
- **こんなことが得意**
- **人からこうだと褒められる**
- **今までにこのような実績がある**

　また、P.105「より魅力的な販売ページに仕上げる3つのコツ」の項「①具体的な数字を使う」で触れたように、具体的な数字を使ったり、出せるのであれば公的な資格名や組織名などを使うことで、あなたの知識やスキルをより客観的に証明することができます。

注意していただきたいのは「自分には大した実績がない…」と主観的に思い込んで手を止めてしまうのではなく、第2章の自己分析ワークを振り返って、「客観的な自分の特徴」を書ける限り書いておくことです。

　例えばあなたが料理を教える商品を販売したいとき、「主婦歴10年、家族に料理を延べ6,000食以上作ってきた」という実績があるとしましょう。

　あなた自身は「でも世の中には主婦歴がもっと長い人もいるし、料理がもっとうまい人もいるし、プロのシェフではないから、こんなことは実績にならない…」と思ってしまうかもしれません。

　でも、本当にそうでしょうか？

　大事なことは、「判断するのはあなたではなく、顧客である」ということです。

　顧客の要望が「料理のプロになりたい」というのなら尻込みするのはわかりますが、「料理が苦手で野菜の切り方から教えて欲しい」という初心者レベルの人だってたくさんいるはずです。

　あるいは同じ主婦でも、「毎日献立が似てしまうから、他の家庭の献立を聞いて参考にしたい」という人だっているでしょう。

　「あなたから見て」ではなく、**悩めるターゲットから見て、まずは「この実績を伝えることで少しでも信頼の足しになるのか？　ならないのか？」**という視点さえあれば、「何も書けることがない」と悩む必要はなくなります。

③ 信念・人柄が伝わるストーリー

　信念・人柄が伝わるストーリーとは、「なぜ、この商品を作ろうと思ったのか？」にあたる、ちょっとしたストーリーのことです。

　これがプロフィールにあるだけで、一気に信頼度が深まります。

　人の心を動かすストーリーを書くには、以下の3点を書き出してみましょう。

① 過去の悩みやマイナスな状況

② 転機となった出来事

③ 変化後の明るい未来

　ストーリーの主人公は自分でもいいですし、他人の事例でもOKです。ストーリーがあるのとないのとを実例でお見せすると、例えばこんな感じです。

〈ストーリーなし〉

A．肥満に悩んでいる人に向けて、私が学んだダイエットの知識を伝えたいです。どんな方にも自信を持って欲しいと思っているからです。

〈ストーリーあり〉

B．私は小さい頃から肥満体型に悩み、ずっと自分に自信が持てませんでした。学生時代はいつも人目を気にして、学校生活を心から楽しめた記憶はありません。大学生になり、初めての彼ができ

たときも「彼がこんな私を本当に好きになるはずがない」と思い込み、素直に気持ちを伝えることができずに、彼に振られてしまいました…。それから、いい加減にこんな自分を変えたい！　と一念発起。まずは見た目に自信をつけようとダイエットについて猛勉強しました。その結果、なんと10kgの減量に成功…！頑張った自分に自信が持てるようになり、自然と笑顔が増えたからか、デートに誘ってくれる男性が激増し、驚くほど恋愛がうまくいくようになりました。こんな経験から、私にもできたダイエットの方法を、昔の私のように自信が持てない方に伝えたい！と心から思っています。

　さて、AとB、どちらの方がより「申し込みたい」と感じるでしょうか？
　ストーリーやちょっとした信念があるだけで「あなたがどんな人なのか」が伝わり、グッと魅力が伝わるのを体感していただけたと思います。

　とくに、②で少し実績が弱いな、と感じるのであれば、信念やストーリーは多少大げさでも、しっかり力を入れて書いてみましょう。少しくらい実績が劣っていても、そのストーリーに共感、感動すると「この人から買いたい！」と思ってもらえるものです。

プラットフォーム単体か、 それともSNS併用か

さて、出品作業が終わった方はひとまずお疲れ様でした！

一息ついたところで、ここからは**出品後**のお話です。

P.76でもお話しましたが、商品の売り方は、次の2通りがあります。

① スキルシェアプラットフォームに出品

② スキルシェアプラットフォームに出品×SNSで宣伝

副業初心者であればまずは①に取り組み、プラットフォームに慣れることから始めてもいいですが、もしより多くの売上を上げたい、売れるまでのスピードを加速させたいなら、②を選んでSNSの発信を進めていくのもおすすめです。

なぜSNS併用がおすすめかというと、そもそもスキルシェアプラットフォームに出品するメリットは、すでに「買いたい人」が集まっている場所に露出できるので多くの人に見てもらえることでしたね。しかし、プラットフォームのデメリットとして、「買いたい人」と同時に「売りたい人」もたくさん集まっている場所なので、価格や商品内容、プロフィールなどでどうしてもライバルと単純比較さ

れやすい側面があります。

そこで、その「ライバルと比較されてしまう・埋もれてしまう」というデメリットを解消できる手段がSNSなのです。

SNSを使って、「あなたの商品に興味を持ってくれそうな人」に広くそして深く情報発信しましょう。ターゲットの母数が増え、また、あなたのことを深く知ってくれるファンができやすくなり、ライバルとの横並びの単純比較ではなくあなたの商品が選ばれやすくなるのです。

また、SNSであればあなたの魅力や専門性など「あなたの情報」がたっぷり投稿できたり、フォロワーとの交流ができやすくなります。そのため商品購入に至るまでの信頼関係が築きやすく、少し高額な単価に設定しても売れやすくなるのです。

「商品がいいから」だけでなく「あなたの商品だから」買いたい、というファンを作りやすいのがSNSのメリットです。

ここからは、スキルシェアプラットフォームとSNSを併用する方法をくわしくお伝えしていきます。

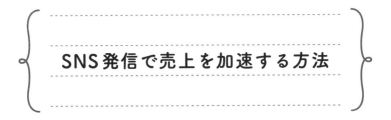

SNS発信で売上を加速する方法

▶ SNSの特徴と選び方

SNSで発信する！といっても、今は様々なSNSがあります。

そこで、まず各SNSの特徴を把握し、あなたのターゲットが最も多く使っていそうなサービスを選ぶことが重要です。

ここでは、2021年5月時点で日本国内で主流なSNSといわれているTwitter、Instagram、Facebook、YouTubeを紹介します。

各SNSの具体的な特徴は以下の通りです。

	Twitter	Instagram	Facebook	YouTube
全年代の利用率	38.7%	37.8%	32.7%	76.4%
ユーザー層	10代〜30代中心	10代〜30代中心	20代〜50代まで幅広い	10代〜50代まで幅広い
投稿形式	テキスト中心（最大140字）	画像・動画中心	テキスト・画像中心	動画・音声中心
特徴	即時性、拡散性	イメージによる世界観が作りやすい	長文投稿可 友達申請承認制	視覚・音声情報のため最も人柄が伝わりやすい

新規客への基本アプローチ	フォロー、いいね、ハッシュタグ投稿、リツイート	フォロー、いいね、ハッシュタグ投稿	友達申請、シェアボタン	検索キーワード、関連動画
とくに相性のいい商品	ほぼ全ジャンル	イラスト、デザイン、作品系などビジュアルを伝えるといいもの	高齢世代向け、経営者向けのサービス	通話、セミナー等の対面or音声コミュニケーションが発生するもの
使いやすさ／続けやすさ	★★★	★★☆	★★☆	★☆☆

出典：総務省情報通信政策研究所『令和元年度情報通信メディアの利用時間と情報行動に関する調査報告書』などをもとに作成。

　あなたの商品のターゲットが誰か？　どんな商品か？　によって、適したSNSが異なるので、上の表を参考にまずはいずれかのアカウントを作ってみましょう。無料で、5分もあれば登録できます。

　個人的なおすすめSNSはTwitterです。ユーザー数の多さはもちろん、テキスト・画像・動画・音声と幅広いコンテンツを投稿でき、どんな商品を告知するにも汎用性が高いSNSだと思います。
　また、拡散性が高いことや、こちらからフォローや「いいね」で存在をアピールできるため、初心者でも一気にフォロワー数を伸ばしやすいSNSの1つです。

▶「何屋さん」になる？　５つの発信内容

SNSの活用で商品の購入をしてもらうには、「あなたはこんな人！」という一貫したイメージを浸透させることが重要です。

具体的にいえば、<u>「あなたは何屋さんなのか？」を伝える肩書きを作り、それに沿った発信を継続する</u>ということです。

例えばあなたの売りたい商品が「事務代行」なら「オンライン事務員」のような肩書きがあると、事務作業が苦手で困っている人や仕事を頼みたい人が集まってきてくれます。

具体的にどんなことを発信するかというと、以下の通りです。

- **知識、スキル、経験**
- **実績、ポートフォリオ（作品集）**
- **信念（なぜその商品を販売しているか）**
- **お客様の声**
- **商品の告知**

逆にいえば、これ以外のことを積極的に発信する必要はありません。

よく陥りがちなミスは、「とにかく発信しなくちゃ！」と思うあまりに「おはようございます」や「今日の朝ごはんはこれです（写真）」などのように、意図のない日常投稿をしてしまうこと。

これらは確かにフォロワーとの交流の一環になる側面があるかも

【 一貫性がない人：何屋かわからない 】

恋愛相談

お金の稼ぎ方

愚痴聞き

ハンドメイド
アクセサリー

イラスト
描きます

【 一貫性がある人：恋愛の専門家 】

マッチングアプリ
攻略
マニュアル

モテ服コーディネイト
相談

プロフィール写真の
撮り方
セミナー

LINE
文章添削

デート必勝の
お店選び代行

何屋さんかわかるように一貫したイメージを浸透させよう

しれませんが、「**あなたの商品を購入してもらう**」という観点でい
えば、**重要度がとても低い情報**です。

　もちろん趣味で楽しむSNSアカウントであれば投稿内容は自由で
すが、目的が「商品を販売する」ということであれば、上に挙げた
5種類の要素に関連した投稿をコツコツと発信していきましょう。

▶ **SNS集客3パターン**

　SNSで、ある程度の投稿数が溜まってきたら、いよいよターゲッ
トをあなたのアカウントに連れてくる段階です。
　集客の考え方は、大きく分けて3点。

① **こちらから存在をアピールする**
② **投稿に流入導線を仕込む**
③ **拡散の仕組みを作る**

　この考え方を覚えておくと、どのSNSでも広く応用ができます。
くわしく解説しましょう。

① **こちらから存在をアピールする**
　まず何といっても「**こちらから存在をアピールする**」です。こち
らからターゲットを探してアクションを取ることで、あなたの存在
を認知してもらうという考え方です。
　とくに始めたばかりの弱小アカウントのうちは、いくら待ってい
ても人が来てくれるきっかけ自体がないため、初期ほど注力したい

ところです。

　具体的には、以下の方法などが考えられます。

- TwitterやInstagramなら、「いいね」、フォローなどをしに行く
- Facebookなら、友達申請をしに行く
- YouTubeなら、動画にコメントをしに行く

　ちなみに、ターゲットとなる人をどう見つけるか？については、

A.ターゲットがプロフィールや投稿内容に書きそうなキーワードを検索してみる
B.ターゲットを一人見つけたら、そのターゲットがフォローしている人などを見る
C.ターゲットが支持しそうな有名人やインフルエンサーのアカウントを予想し、その有名人のフォロワーを見る

　などをすると、ターゲットに近い人を見つけることができます。

　例えば、あなたのターゲットが「肌荒れに悩む20代OL」だとしたら、

A.「肌　荒れた」「乾燥　つらい」「化粧品　合わない」など、ターゲットが投稿しそうなキーワードを予測して検索窓に入れる
B.ターゲットとなるOLを見つけたら、そのOLがフォローしている／されている人は、その人と近い属性の可能性が高いので、そこから2人目、3人目……とターゲットを探す
C.「肌荒れに悩む20代OL」が好みそうな、美容系の発信をしているインフルエンサーや化粧品会社のPRアカウントなどを見つけ、

　　そのアカウントをフォローしている人を見る

といった感じです。この方法なら、やればやるほどターゲットに近い人がたくさん見つかるでしょう。

　　こうして見つけたターゲットに、ひたすら「いいね」やフォローなどであなたの存在をアピールし、認知してもらいましょう。
　まずは1 ～ 2週間ほどこの作業をやってみてください。コツを掴めば一気に集客ができるようになります。

② 投稿に流入導線を仕込む
　これは、投稿自体に一工夫をして「人が集まる仕掛け」を入れるという考え方です。
　こちらから存在をアピールするだけでなく、「自然と集まってしまう状態」を作ることもできれば、集客はさらに加速します。

　具体的には、ターゲットが検索しそうなキーワードやハッシュタグなどを予測し、あらかじめ自分の投稿に盛り込むことです。
　ではどんなキーワードが検索されやすいか？ というと、

A. ターゲットが直面している悩みに関連するキーワード
B. 流行、トレンドになっているキーワード

　を探してみるといいでしょう。
　例えば先ほどの「肌荒れに悩む20代OL」であれば、

A.「化粧品　敏感肌」「肌荒れ　効く薬」「ニキビ　隠れる」などターゲットが検索しそうなキーワードを盛り込んだ投稿をしてみる

B.CMなどで認知度が高まっている化粧品名、流行りの美容法などのキーワードを盛り込んだ投稿をしてみる

などのような感じです。

　ちなみに、より確実な流入を狙うために、「実際によく検索されているキーワードを調べる」という方法もあります。

　Twitterならトレンドキーワード欄のチェック、YouTubeであれば実際にキーワードを入れてみて、ヒットする動画の再生数が多ければ「需要があるキーワード」と判断することができます。

　また少し上級編の内容ではありますが、ツールを使って調べる方法もあります。

　Googleが提供している「キーワードプランナー」というツールを使えば、Googleでよく検索されているキーワードなどを調べることができます。「多数検索されている＝世の中で知りたい人が多い」ということなので、SNSでも応用できるでしょう。

　他にも、Instagramの人気ハッシュタグを検索できるツールなども多数あるので、気になる方はぜひ活用してみてください。

　このように、1つひとつの投稿にほんのひと手間加えてみるだけで、検索やハッシュタグから自然と人が集まりやすいアカウントになっていきます。

③ 拡散の仕組みを作る

　これは、すでにフォローしてくれている人に「この人の投稿いいな」と思ってもらい、知り合いなどに広めてもらうという考え方です。

　とくに少しずつフォロワーが集まってきた段階で有効になります。具体的には、

● SNSの拡散機能（Twitterならリツイート、Facebookならシェアなど）を使ってもらう
● 知人への直接紹介やブログなどのメディアで口コミ的に紹介してもらう

などが考えられます。では、「拡散機能や口コミによって広めてもらいやすい投稿」とは何か？というと、以下の通りです。

A.ターゲットの悩みを解決する知識やお役立ち投稿
B.ターゲットの悩みをずばり言い当てる共感投稿
C.ターゲットがくすっと笑えるようなユーモアのある投稿

　例えば「片頭痛に悩んでいる人」がターゲットなら、

A.お医者さんに聞いた「片頭痛の緩和法」や試してよかった方法などをまとめる
B.片頭痛あるあるや、つらい気持ちに寄り添うような言葉を添える
C.「片頭痛だからこそ得したこと」など、少し視点を変えた投稿をしてみる

という感じです。

　これに関しては絶対的な正解はないのですが、要するに「思わず人に教えたくなる投稿」を目指せばいいというわけです。

　例えばあなたが片頭痛で悩んでいるなら、「へ〜なるほど」と思わせたり、「めちゃくちゃわかる…」と深く共感させたり、「こんな考え方もあるんだ！」と心を動かす投稿があれば、ついついポチっとリアクションして、人にシェアしたくなりますよね。

　日ごろからSNSで見かける「反響の多い投稿」をメモしておき、A 〜 Cのどれに当てはまるのか？　または、どれにも当てはまらないけど伸びている投稿の理由などを、自分なりに分析してみるのもおすすめです。

　いかがだったでしょうか？

　今回の運用法をそれぞれのSNSで実践し、相互作用でフォロワーを伸ばしていくのもいいでしょう。

　Twitterで知ってくれたフォロワーに対して「YouTubeもやっています」と告知し、YouTubeのチャンネル登録もしてもらう。逆にYouTube→Twitterに飛んでもらう、などです。

　いずれにしても、ここで解説したことは、時代が変わり、徐々に新しいSNSが出てきたとしても、長く使える普遍的な考え方なのでぜひ覚えて実践してみてくださいね。

▶ SNS攻略のコツ

　さて、ここまでSNSの活用法を色々とお伝えしてきましたが、最後に重要な点をまとめます。シンプルにいうと、商品を販売するためのSNS活用で重要なことは

① 投稿内容の質と数
② 集客数

です。この2つの軸で常に自分のアカウントをチェックするようにしましょう。
　よくSNSに関して「どのくらい投稿すればいいですか？」「毎日投稿は必須ですか？」「フォロワー数は何人まで増やした方がいいですか？」などの質問をよくいただきますが、重要なのは「量」だけを追い求めることではありません。

① あなたの商品を購入するために必要な情報が【←投稿内容の質と数】
② あなたの商品を必要としうる人に、【←集客数】

　届いているかどうか？　がとても重要なんです。
　いくら多くの人を連れてきても、あなた自身やあなたの商品の魅力が伝わらない投稿ばかりでは売れることはありませんので、常に①②の2点を忘れずにセルフチェックするようにしましょう。

趣味がお金に換わり、
経験がさらなるお金に換わった話

　私のお客様に、地方在住の20代男性でSさんという方がいらっしゃいます。Sさんはもともとコンビニのアルバイトをしていましたが、職場環境が合わず、ストレスで白髪が急増するほど辛い思いをされていました。

　それでも、収入が途絶えることを考えるとなかなかすぐには辞められず、「辞めたとしても、何の強みもない自分には他の仕事もないかもしれない」と悩んでいたそうです。

　しかし、そんなタイミングで、彼は私の発行するメールマガジンに登録してくださり、「こっそり副業術」のノウハウに出会いました。

　当時アルバイト生活をしていた彼からしてみれば、私が一貫して発信している「**何気なくやっている趣味だってお金になる**」という言葉が衝撃だったそうです。

　というのも、彼は時々、趣味で絵を描いていましたが、「特別画力があるわけじゃないし、描くスピードも遅い。納得のいくものが全然描けないし、完全に趣味でしかない。これではお金にならない」といっていたんです。

けれど、「**好きで描いているイラストでお金を稼げるかもしれない**」と希望を抱いた彼は、プラットフォームで「SNSのアイコンを描きます」という商品を出品してみることにしました。

「どんなページを作ったらいいんだろう…」と悩んだものの、本書でもお伝えしている「**まずは出してみる。それから改善していけばいい!**」という言葉を思い出し、とりあえず見よう見まねで商品を出品。

とはいえ、自分の画にまったく自信が持てなかった彼は、「こんな下手なイラストは誰も頼んでくれないだろうな…」と内心は覚悟もしていたそうです。

しかし、数日後にあっけなく彼の商品が売れたのです。それも、購入者からは「**他とは違う画風がとても気に入りました**」という言葉まで。

後々、この時のことを、「自分が勝手に感じていた"こんなの価値がない"という主観なんて本当に思い込みだったんだと感じました」と彼は語ってくれました。

つまり、彼にとっては「画力がない」と感じていたイラストも、「他とは違って魅力的だな」と思ってくれる人さえいれば、あっさりと売れてしまうんですよね。

この経験で自信を得た彼は、さらに新しい商品を出して販売

実績を積み重ね、今では50件近くの依頼を受けて、立派な副業イラストレーターになりました。

　さらには彼自身の経験を、これからスキルシェアを始めるイラストレーターさん向けのノウハウにまとめ、マニュアルとしても販売しました。そのマニュアルも順調に売れ、多くの人に希望を与えています。

　今でも時々連絡をいただきますが、コンビニバイトで辛い思いをしていた頃と比べて、彼自身とても楽しそうに副業をしています。

　「自分の強みでお金を稼ぐことは、こんなにも人を自信満々にして輝かせるんだな」とあらためて実感した、忘れられないエピソードでした。

第 **5** 章

出品後、
さらに売上を
アップさせる方法

第4章までで、本書でお伝えする「こっそり副業術」の具体的な
ステップをご紹介してきました。

　本書を読み進めると同時に出品作業に取り組んできた方は、すで
に出品が完了していることと思います。お疲れ様でした！

　まだ出品はこれから！　という方も、ここまで読み進めたことで、
一通りの「自己分析〜商品化して販売する」までの流れはつかめた
のではないでしょうか。

　さてここからは、さらに売上をアップさせる方法をお伝えしてい
こうと思います。

　まだ商品が売れていないけど、売れるために何をしたらいいだろ
う？　というヒントが知りたい方や、さらに売上をアップさせた
い！　と考えている方は、ぜひこの章をくり返し読み、1つずつ実
践してください。

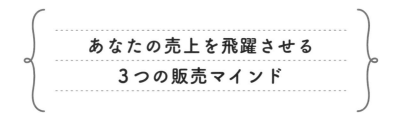

あなたの売上を飛躍させる
3つの販売マインド

　さてここでは、「商品を販売する上での大事なマインド」につい
て触れておきたいと思います。このマインドを学んでおくことで、
売上が飛躍的に伸びていくでしょう。

▶ お悩み解決マインド

まず1つ目は「**お悩み解決マインド**」を持つことです。

「売る」とはシンプルに考えると「誰かのお悩み解決」です。悩みの大小はあれ、誰かが悩んでいたり困っていることに対して「こうすれば解決できますよ」と提案し、その報酬を受け取る行為です。

つまり「自分が売りたいもの」ではなくて「相手が欲しいもの」を売る必要があるということです。

もしあなたに熱烈なファンがすでにいるのでなければ、「相手が欲しいもの」を調べたり、予測したりした上で差し出すべきです。

また、購入してもらった後にも念のため「欲しいものが手に入ったかどうか（ニーズとずれていなかったか）」を確認するといいでしょう。

さて、この「お悩み解決マインド」を習慣化するためにおすすめの方法は2つ。

① 日ごろあなたがお金を払ったタイミングで「自分は今どんな悩みを解決したくてお金を払ったんだろう？」と考えてみること
② 毎日1回は誰かから「ありがとう！」という言葉をもらうように行動すること

なぜこれらが有効かというと、①によって「**モノを売るとはお悩み解決なんだ！**」ということが体感できるようになり、②によって「**人の悩み**」に敏感に反応できるようになります。そして、その見つけた悩みを実際に解決する行動をあなたが起こすからこそ「あり

「お悩み解決マインド」を持って取り組もう

<u>がとう</u>」という言葉をもらえるからです。

この2つの習慣を身につけるだけで、「売れるマインド」が自然と身についてしまうので、ぜひゲーム感覚で楽しみながらやってみてください。毎日が楽しくなるでしょう。

▶ 等身大マインド

2つ目は、「**等身大マインド**」を持つことです。

月並みな言葉ですが、商品を販売する上で一番大切なことは、誠実さだと私は考えています。なぜなら、顧客と誠実にコミュニケーションを取れる販売者は、顧客に長く愛されてリピーターや口コミでの広がりを生み、結果として継続的かつ大きな売上につながるからです。

では、誠実であるためにどうすればいいのかと言うと、それが「等身大マインド」を持つことです。

等身大、つまり変に誇張したり見栄を張ったりすることなく「今の自分の全力を素直に出す」というイメージですね。具体的には、

● **できないことを「できる」と嘘をつかないこと**
● **今の自分にできることを精一杯全力でやること**

これを心がけていれば、不要なトラブルや大きなクレームは限りなく起きにくく、顧客との信頼関係をしっかりと築くことができます。

事実、私自身も、また私のお客様でも、本書で解説するマインドを持っていて深刻なトラブルに見舞われた方はこれまで一人もいらっしゃいません。

　それでも万が一もらい事故のようにトラブルが生じてしまった場合、すみやかにプラットフォームの運営企業に報告し、適切に対応してもらいましょう。自身が誠実でいれば何も怖くありません。

▶ お試しマインド

　そして最後は、「**お試しマインド**」を持つことです。

　もっと単刀直入にいうと、「最初から売れなくても当たり前なんだから、どんどん色んなことを試そう！」と、ある意味楽観的に構えることです。

　世の中のどんな商品も、市場に出すまでに何度も何度も「試作」というテストを重ねています。例えばお菓子メーカーだって、材料はどうか、味はどうか、パッケージはどうか…など、少しずつ色んなパターンで試作品を作り、試作を重ねた先にヒット商品が生まれるわけです。

　つまり、「**売れる商品を完成させるには何度もテストするのが当たり前**」だということです。

　誰しも一発で完璧に売れる商品を作れるわけではありません。

　ですから、売るための自己分析やリサーチなど、最低限の準備をしたら、「えい！」とまずは売ってみる。その結果、売れたか否か

はもちろんのこと、他にも例えばどのくらいの人数が販売ページを見に来てくれたのか？ などを数字で把握し、次はどのようにしたらもっと売れるのか？ と考えるきっかけが生まれるのです。

これが、最終的に売れる商品に仕上げる一番の近道です。

「売上の公式」を攻略しよう！

それでは、ここからはより具体的な「売上を直接的に上げる手法」をたっぷりとお伝えしていこうと思います。

▶ 売上の公式とは？

まず大前提として、「売上を上げたい！」と思うのであれば、「売上ってどのように構成されているの？」という構造を理解することが近道です。

つまり、**売上の公式**を知ること。本書で解説した「こっそり副業術」で売上を上げていくのに必要な「売上の公式」は、以下の通りです。

＜売上の公式＞
売上 ＝ 客数 ✕ 客単価 ✕ 購入頻度

客数とは、購入してくれた顧客の人数のこと。客単価とは、顧客一人あたりが払う価格のこと。購入頻度とは、顧客がリピート購入してくれた回数のことです。

　ちなみに購入頻度の計算方法は以下の通り。

購入頻度　＝　商品を購入された回数　÷　顧客の人数

　例えば、あなたが1,000円の恋愛相談を出品して、10人が購入したとすれば、

客数：10人　　客単価：1,000円

となり、売上は10人×1,000円＝10,000円です。そして仮に顧客10人のうち2人がリピートでもう一度申し込んでくれたとすると、購入頻度は

　　商品を購入された12回　÷　顧客の人数10人　＝　1.2回

となります。これを売上の式に当てはめると、

　売上　＝　10人　×　1,000円　×　1.2回　＝　12,000円

となります。なお、複数の商品を出品している場合は、このように売上の公式で商品毎に売上を出して、それぞれの売上を足し合わせ

るとわかりやすいです。

商品Aの売上　＝　客数　×　客単価　×　購入頻度
商品Bの売上　＝　客数　×　客単価　×　購入頻度
商品Cの売上　＝　客数　×　客単価　×　購入頻度
　　　↓
合計副業収入　＝　商品Aの売上　＋　商品Bの売上
＋　商品Cの売上

ということですね。

▶ 売上をアップさせるからくり

　次は「具体的にどうすれば売上ってあがるの？」についてお話し
しましょう。売上の公式は、

売上　＝　客数　×　客単価　×　購入頻度

でしたね。客数・客単価・購入頻度という各要素の掛け算が売上に
なるわけです。つまり、売上を上げるには、

① 客数を増やす
② 客単価を上げる
③ 購入頻度を上げる

実はこの3点を考えていけばいいだけ。

　こう考えると、売上アップのからくりってとてもシンプルなんだな、と感じていただけるのではないでしょうか。

　次の項から、①〜③の各要素をどのようにアップさせていくのか？という具体的なお話をしていきます。

{

客数を増やして売上アップ！

}

売上　＝　**客数**　×　客単価　×　購入頻度

　さて、まずこの項では、「①客数を増やす」ことで売上をアップさせる方法について解説していきましょう。

　手軽に取り組みやすいものから順に紹介していきます。

▶「ずらし」で大量出品！

　「客数を増やす」ためには、単純に「商品のラインナップ（商品数）を増やす」ということが考えられます。商品数が増えれば、その分購入する可能性があるターゲットの数も増えるわけで、そうなれば客数アップにグッと近づきそうです。

そうはいっても「自分にはいきなりいくつも商品が思いつきません…！」という方もいらっしゃいますよね。

ところが、そんな方でも魔法のように即日「大量出品」ができてしまう方法があるんです。

短い期間で大量出品するコツは「ずらすこと」にあります。

一体何をずらすのか？というと、大きく分けてこの3つ。

① **販売場所をずらす**
② **提供方法をずらす**
③ **ターゲットをずらす**

それぞれ1つずつくわしく解説していきますね。

① 販売場所をずらす

1つ目は、「**販売場所**」をずらして出品商品を増やすこと。

具体的にいえば、同じ商品を別のプラットフォームに持って行って販売してみるということです。

例えば、ココナラで「恋愛相談」を出品したら、同じ内容の商品をタイムチケットでも出品してみる。さらにスキルクラウドでも出品してみる…というようなイメージです。

新たな商品を考えるわけではないので、ほぼ手間はありません。にもかかわらず売上がアップしてしまう可能性があるのなら、やらない手はありませんよね。

P.76で紹介した様々なプラットフォームに、片っ端から出品して

みましょう。もし同じ商品でも売れやすいプラットフォームがわかったら、次はそのプラットフォームに新商品を出品してみるなど、集中的に伸ばしてみるのもいいですね。

② 提供方法をずらす

2つ目は、「提供方法」をずらして出品商品を増やすこと。

具体的にいえば、同じ知識やスキルでも、別の提供方法に変えて販売してみるということです。

P.62でお伝えした「提供方法」には4つあるというお話を覚えていますか？

- 代行業（やる）
- 相談業（聞く）
- 先生業（教える）
- 共有業（マニュアルにして渡す）

提供方法を変えてみることで、同じような悩みでも「少し違ったニーズを求めている人」にあなたの商品が届くきっかけになることがあります。

例えば、以前私自身がとあるジャンルで出品した「相談サービス」で「細かいニーズの違いがあるんだな」ということを実感したエピソードがあります。

当時、私は「通話相談形式」のサービスを出品しているライバルが多い中で、あえて「チャット相談形式」で出品してみました。

　すると、出品後放置していたにもかかわらず、約1週間ほどであっさりとサービスが売れたのです。

　「なぜ私のサービスを購入してくださったのですか？」と聞くと、「仕事をしていてまとまった時間が取れないので空き時間にこまめにやりとりをしたかったことと、自分の相談内容やいただいたアドバイスが文字で残るので、相談後にもずっと見直せると思い、通話ではなくチャット相談を選びました」といわれたのです。

　このように、あなたが持っているベースの「知識・スキル」は同じでも、「提供方法」を変えてみるだけで、実に様々なニーズに役立つ可能性が上がってしまうのです。
　ぜひ、すでに出品した商品の「提供方法」を変えて、商品を増やせないか考えてみましょう！

③ ターゲットをずらす
　最後は、「ターゲット」をずらして出品商品を増やすこと。
　考え方としては「②提供方法をずらす」と同様ですが、こちらは、あなたの持つ知識・スキルを「違うターゲットに向けて」出品することです。
　同じ知識・スキルを再利用することで、いとも簡単に出品できる商品数が増えてしまう…というわけです。

　例えば、あなたが資格試験に合格した経験から「効率のいい勉強法」を教えるセミナーを出品したとします。この場合、メインター

ゲットとなるのは「資格試験合格を目指す社会人」のはずです。

この知識をそのまま使いながら、別のターゲットにずらした商品を作るとしたらどうでしょうか。

- 「学校の成績アップのために勉強する中学生（の親御さん）」向けなら「定期テスト対策の勉強法」
- 「大学受験合格を目指す高校生や浪人生」向けなら「受験必勝の勉強法」
- 「試験勉強中の大学生」向けなら「試験突破のための勉強法」
- 「自分自身が生徒を抱えている教師や塾講師」向けなら「生徒の成績を伸ばす勉強法」

このように、ターゲットが違えば少しずつ見せ方が変わります。この方法のメリットもまた「わざわざ新しい知識やスキルを探さずに、出品商品だけをパパっと増やせる」という手軽さです。

▶「売れやすさ」を重視した商品を出す

客数アップのためには、「売れやすい商品」を狙って作る、というのも手です。

具体的には、「多くの人が悩むこと」や「需要が多い困りごと」を解決する商品を作るということです。

なぜかというと、「悩んでいる人が多い」のなら、その分売れる可能性に直結するからです。これはわかりやすいですよね。

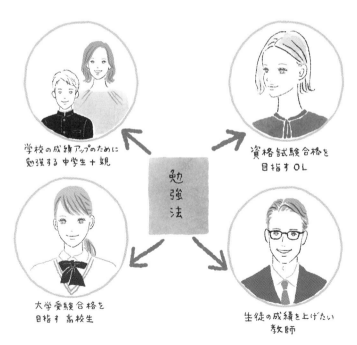

同じテーマでもターゲットをずらすだけで商品を増やすことができる

では、どうすれば売れやすい商品を作れるのか？　次の3つの手順で解説していきます。

手順1：人間の悩みマトリクスを作る
手順2：人間の悩み8大ジャンルを知る
手順3：重要かつ緊急の悩みを持ったターゲットを探す

① 手順1：人間の悩みマトリクスを作る

　「売るとは誰かのお悩み解決だ」とお伝えしましたが、こういわれると、「さあ誰かの悩みを解決するぞ！」と意気込むかもしれません。とはいえ、やみくもに「お悩み探し」をするのはなかなか骨が折れる作業です。

　そこでまずは「人間の悩み」を以下のように分類することで、わかりやすく可視化してみましょう。

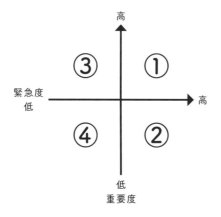

　人間の悩みを、横軸が緊急度、縦軸が重要度としてマトリクスで考えてみます。

①のゾーンは緊急度が高く、重要度も高いもの
②のゾーンは緊急度が高く、重要度は低いもの
③のゾーンは緊急度が低く、重要度は高いもの
④のゾーンは緊急度が低く、重要度も低いもの

となっています。そして、もちろん個人差もありますが、**一般的に商品として売れやすいのは①→②→③→④の順です。**

　なので、まずはあなたの知識・スキルを使って、最優先順位である「①に当てはまる商品として販売できないか？」を考えていくのがおすすめです。

　もしどうしても①が見つからない場合、次点で②→③と考えていってください。

　ここで、①～④の違いがわかりやすいように例を挙げると、「来年結婚を考えていた愛する彼氏に先月振られてしまった！　どうしても復縁したい！」という悩みは、①にあてはまります。

　「結婚を考えていた彼」ということから人生の一大イベントに関わる重要な問題ですし、「来年には結婚したい」と考えていたわけなので、「今すぐにでも仲直りしたい」という気持ちになるのは自然なことで、緊急度が高いはずだからです。

　別の例なら、「今夜、久しぶりに友人が家に遊びに来るからちょ

っと豪華な夕飯を作っておかないと…」という悩みは、「②緊急度が高く、重要度は低いもの」にあてはまります。

「今夜友人が家に来る」ということから緊急度が高いタスクであり、かといって、人生全体でみればものすごく重要なわけではないですよね。

また、例えば、「将来の老後資金を貯めておきたいから、30代のうちからコツコツできる積み立て投資を始めたいな」という悩みは、「③緊急度が低く、重要度は高いもの」にあてはまるでしょう。

「将来の老後資金」ということから緊急度は低くなりますが、今後の人生においては「老後資金」は重要な問題になっていきますからね。

最後の例を挙げると、「時々、趣味でやってるゲームがなかなか攻略できないな、誰かくわしい人に聞こうかな？」という悩みであれば、どうでしょうか。

おそらくこれは「④緊急度が低く、重要度も低いもの」にあてはまるでしょう。「時々やっている」ということから緊急度は低いでしょうし、「趣味でやっている」ということからも重要度はそこまで高くないことが伺えます。

いかがでしょうか？

何が緊急で何が重要かにはもちろん個人差があります。

しかし、「多くの人にとってはこうだろう」と予測することで、「売れやすい商品」を作りやすくなることに変わりはありません。

あなたの知識・スキルを売れやすいターゲット・シーンに絞り込んで販売すればいいのですから。

② 手順2：人間の悩み8大ジャンルを知る

先ほどのマトリクスから、人の悩みのうち「①緊急度が高く、重要度も高いもの」ほど購入に至りやすい、というお話をしました。

続いて解説するのは、「そもそも人はどんなことに悩むのか？」ということです。ここを知らずして「緊急度」も「重要度」も考えられませんよね。

これまで様々なモノを売ってきた私の経験上、**多くの人の悩みは、ほとんどが以下8つのいずれかのジャンルにあてはまります。**

1. 健康

2. 美容、外見

3. 恋愛、婚活

4. 友人関係

5. 仕事の人間関係

   （上司、同僚、部下、取引先）

6. 家族関係

   （夫婦、親子、親族、義理家族）

7. お金

   （収入、借金、教育資金、老後資金）

8. キャリア

   （就職、昇進、職種転換、転職、独立）

もちろん1〜8は人によって個人差があります。年齢・性別・性格・環境など様々な要因によって悩みは変化していきますが、あくまで「大体この要因がそろっていれば、こういう悩みを持つ傾向にあるだろう」と論理的に予測を立てることが重要です。

　まずはあなたの持つ知識・スキルを活かして、この8ジャンルのいずれかのお悩み解決商品を作ってみることをおすすめします。

③　手順3：重要かつ緊急の悩みを持ったターゲットを探す

　最後は、「重要かつ緊急の悩みを持ったターゲットを探す」ことです。

　そのためには、具体的に考えるのはこの2つ。

● **8ジャンルにおいて「重要度が高くなるターゲット」はどんな人？**
● **そのターゲットにとって「緊急度が高くなるシーン」はいつ？**

　例えばあなたが「健康」にまつわる知識やスキルを持っているとします。

　そこでまず、8大ジャンルのうち「健康」の重要度が高くなるターゲットはどんな人かと考えてみると、どうでしょうか？

　10代であれば若くて体力もあるので、健康について深刻な悩みは持ちづらいですよね。ですから10代にとって「健康」の重要度は高くなさそうです。

　ところが、体力が落ちてくる50代にとって「健康」の重要度は

高そうです。となると、もしあなたが「健康に関する知識」を販売
したいのであれば、

　　10代にとっては「健康＝重要度が低いもの」
　　50代にとっては「健康＝重要度が高いもの」

　となり、少なくともターゲットは、10代よりも50代に設定した
方が良さそうということになります。

　では次に、50代にとって「健康」の緊急度が高くなるシーンは
いつでしょうか？　答えは様々あるかと思いますが、

● 健康診断や人間ドックで「再検査してください」の結果が出て
　しまった
● 医者から生活習慣の乱れなどを指摘されてしまった
● 更年期に差し掛かり、疲れやすさやイライラが気になるように
　なった
● 自分の親に認知症の傾向が見えてきて、どうにか改善したいと
　思っている

もしこのような状況になれば、「健康」の緊急度は高くなります。

　ここまで考えると、人間の悩みマトリクスでいう「①緊急度が高
く、重要度も高い」という状態のターゲットがくっきり浮かび上が
りますね。そうなれば、

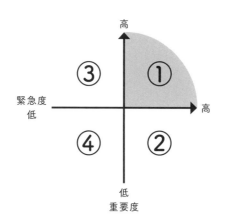

- **あれ？　更年期？　と不安になっている50代女性に「更年期対策マニュアル」を販売します**
- **お医者さんにメタボを指摘されたあなたへ「50代からできる生活習慣改善ダイエット」を教えます**

のように、あなたの持つ「健康」ジャンルの知識やスキルを「緊急度・重要度ともに高い人たちに向けて」商品化すれば、売れる確率が高くなる、というわけです。

　「売れる商品なんて、私に作れるかな？」と思っていた方も、「人間の悩みマトリクスを作る」「人間の悩み8大ジャンルを知る」「重要かつ緊急の悩みを持ったターゲットを探す」のように手順を追って、丁寧に「あなたの持つ知識やスキルを最も購入してくれそうな人」を見つけ出すことができれば大丈夫。

　ただし、最初は慣れないので「そんなにたくさんターゲットがぽんぽん思い浮かばないな…」と思考に詰まってしまう方もいるかもしれません。

　そんなあなたには、**毎日の妄想トレーニング**がおすすめです。

　妄想トレーニングとは、日頃から街行く人や電車の中に居合わせる人、職場の人などを見た時に妄想を膨らませていくというものです。例えば

この同僚は20代男性、営業マン。昇進に向けて毎日遅くまで残業して頑張っているから、今は「キャリア」や「収入」の重要度が高そうだな。最近、彼の同期が昇進したから、「昇進」が緊急度の高い悩みかもしれない。

　といった感じで脳内妄想を繰り広げましょう（笑）。

　もし気軽に話ができる関係性であれば、直接質問をしてみて、妄想の答え合わせをしてみるのもおすすめです。

客単価を上げて売上アップ！

売上　＝　客数　×　**客単価**　×　購入頻度

続いて、「客単価」を上げるための方法を2つ解説していきます。

▶ 差別化で希少性アップ➡単価アップ!

まず1つ目は、「ライバルと差別化することで希少性を上げ、商品単価を上げる」という方法です。

具体的にいうと、複数の強みを掛け合わせた商品を出品すること。

なぜなら、複数の強みを掛け合わせることで、自ずとまったく同じ知識・スキルを持つライバルの割合が下がり、希少性が上がるからです。

具体的には、以下の3通りです。

① 知識×知識の掛け合わせ
② 知識×スキルの掛け合わせ
③ スキル×スキルの掛け合わせ

それぞれの事例を出していくので、ぜひ「買い手目線」に立って、「この商品に興味を持つかどうか」と考えてみてくださいね。

① 知識×知識の掛け合わせの例
● 「断捨離」のコツ × 「フリマアプリ出品法」
＝モノを減らしながら、さらにお小遣いまで稼ぐ方法を教えます!
● 「レンジでできるお菓子作り」レシピ × 「美味しいコーヒー

の淹れ方」
＝自宅で1000円以下でもホテルのような優雅なティータイムに
する方法を教えます！

● 「収納」のコツ × 「風水」の知識
＝運気を上げる収納術を教えます！

● 「一人旅おすすめプラン」 × 「マイルの貯め方」
＝一人でも楽しく旅行しながらマイルを貯める方法を教えます！

● 「ダイエット法」 × 「バストアップ術」
＝痩せていきながらもバストアップする方法を一気に教えます！

② 知識×スキルの掛け合わせの例

● 人事担当者視点の「面接攻略法」 × 「字を書く」スキル
＝内容も見た目も「印象抜群」の履歴書を代筆します！

● 「フリマアプリの始め方」指南 × 「ライティング」スキル
＝フリマアプリスタートダッシュパッケージ！出品からページ添
削までお任せ♪

● 「英語」 × 「コミュニケーション」スキル
＝海外ECサイトとのショッピングトラブルに！やりとりや問い
合わせを代行します

● 「恋愛」 × 「イラスト」スキル
＝好きな人の心をつかむLINEスタンプ描きます

● 「SNS運用法」 × 「画像加工」スキル
＝お手持ちの画像をSNS映えする画像に生まれ変わらせます！

③ スキル×スキルの掛け合わせの例

● 「動画編集」スキル　×　「広告運用」スキル
　＝動画広告の作成〜運用までお任せください！

● 「褒め上手」スキル　×　「イラスト」スキル
　＝あなたの魅力を引き出し、見るだけで自信がアップする待ち受け画面用イラスト描きます！

● 「ライティング」スキル　×　「写真」スキル
　＝スキルシェアサービスで売れるための販売ページをイチから作成代行します

● 「読書」スキル　×　「歌」スキル
　＝受験対策に！教科書を読んでオリジナルの覚え歌を作ります

● 「リサーチ」スキル　×　「資料作成」スキル（図解、言語化）
　＝お仕事用のリサーチ〜プレゼン資料まで全部お任せ！リサーチ結果を明日プレゼンできる状態にまとめます

　いかがでしょうか？

　中にはちょっと意外な組み合わせも出てきたかもしれませんが、買い手目線で見てみると、「これのついでにこれもやってもらえたら助かるな」、「これだけじゃなくこっちも教えてくれるなんて面白いな」と感じた商品があったのではないでしょうか？

　このように複数の知識・スキルを掛け合わせると、それだけで希少性が上がります。

▶ 第三者の声で信頼性アップ➡単価アップ!

そして2つ目は、「第三者の声で信頼性を上げ、商品単価を上げる」という方法です。

具体的にいうと、「あなたの商品を使った人の声」を集め、購入前のターゲットに見せること。いわゆる口コミです。

例えば、以下のことを実行してみましょう。

① 商品がまだ売れていない場合

友人や知人に無料モニターとして提供し、その感想をもらい、販売ページ内で「モニターの声」としてアピールしましょう。

② 商品がすでに1件以上売れている場合

購入してくれた顧客に「感想・レビュー」をもらう工夫をします。

取引終了前に「ぜひレビューのご協力をお願いします」「こちらの簡単なアンケートにご協力ください」と促すだけでも効果はありますし、「レビューをしていただけたら●●をプレゼントします」のように、顧客が行動するメリットを提示するのも効果的です。

もらったレビューは、販売ページ内やSNSで「顧客の声」としてアピールしましょう。第三者にお墨付きをもらうことで一気に信頼性が上がるため、商品単価を上げても売れ続けやすくなります。

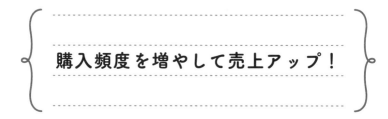

購入頻度を増やして売上アップ！

売上　＝　客数　×　客単価　×　**購入頻度**

　ここでは、「購入頻度」を上げるための方法を解説していきます。

　これはつまり、「リピーターを増やすこと」です。同じ顧客に何度もあなたの商品を購入してもらうのです。

　大きく分けて、以下の2つの視点に分けてお伝えします。

● **一商品のリピーターを増やす**
● **商品全体のリピーターを増やす**

▶ 一商品のリピーターを増やす

　まずは、文字通りシンプルに、「1つの商品を何度もリピート購入してくれる顧客」を増やすことです。

　この方法は、P.62で解説した4つの提供方法のうち「代行業」または「相談業」の商品が該当します。

　なぜなら、「先生業」「共有業」においては「知識」を販売するため、顧客が一度購入したものとまったく同じ知識をもう一度購入す

る可能性は限りなく0に近いから。これは当然ですね。

「単品リピーターを生む商品」として出品するなら、「代行業」または「相談業」が適していると考えておきましょう。

では、その上でリピーターを生みやすくする仕掛けは何か？　というと、「商品のゴール設定」にあります。具体的には、以下の2つのいずれかを取り入れてみるといいでしょう。

①「繰り返す行動」に着目する
②「一時の感情」に着目する

それぞれ解説していきます。

①「繰り返す行動」に着目する

ターゲットが「Before→After」の「After」というゴールにたどり着くために「繰り返し必要な行動」を見つけ、そこをサポートすることです。

顧客と一緒に一定期間伴走するトレーナー的存在になるイメージでしょうか。

例えば、「転職をしたい！」と考える人の最終ゴールは当然「内定をもらうこと」です。そこに対して、仮にあなたが「模擬面接に付き合います」という相談サービスを販売するとします。

そして、その顧客が面接練習の甲斐もあり、無事に一次面接を突破。そうなると、顧客は次にどんな行動をするでしょうか？

たいていの企業の場合、「二次面接」が待ち構えていますよね。

　つまり、あなたの「模擬面接に付き合います」というサービスが
もう一度売れる可能性があるわけです。
　とくに、一次面接合格という結果があれば信頼度も抜群。
　「またあの人と面接練習して臨みたい！」と思ってもらえるかも
しれません。

　このように、「ターゲットが目指すゴールにたどり着くまでに"繰
り返す行動"に着目し、そこをサポートするサービス」を出すだけ
で、リピートされる確率が高まります。

②「一時の感情」に着目する
　先ほど、ターゲットの「After」というゴールにたどり着くため
の行動をサポートしましょう、とお伝えしましたが、そもそも全員
が「大きな目標に向かって継続的な努力をする人」ばかりではあり
ませんし、精神面や時間面の余裕がなくてできない、という人もい
ます。
　そこで有効になるのが「一時の感情」に着目するということです。
例えば、

● ムカつくことがあったから、ただ愚痴りたい
● 否定続きで自信がないから、ただ褒めて欲しい
● やりたいことがないから、ただ暇つぶしに付き合って欲しい
● 難しい問題に直面したから、ただ一緒に整理して欲しい

● **恋人と別れたばかりで寂しいから、ただ話し相手になって欲しい**

など、「ただ、今この瞬間だけ●●な気分だから●●したい」という一時の感情をうまく満たせるようなサービスを提供するのです。

　もちろんこのようなサービスは相場からかけ離れた高単価にはなりづらいですし、「爆発的ヒットサービス」にはなりにくいでしょう。
　しかし、「リピートされやすい」という観点からいえば、絶妙なサービスになる可能性があります。
　人間は日々様々な感情を抱えていますし、どんな人でも気分が高ぶって感情的になる瞬間もあるものです。
　そんな時、このように手軽に感情を満たしてくれるサービスは中毒性があるでしょう。

　ちょっと裏技的なテクニックですが、ぜひこんな商品も出品候補の1つに入れてみてください。

▶ **商品全体のリピーターを増やす**

　今度は「**あなたが出品している複数の商品をいくつも購入してもらうための方法**」をお伝えしていきます。
　具体的には、ゴールまでの時系列に沿って、複数の商品ラインナップを出品しましょう。

　P.161では、購入頻度を高めるために、ターゲットにとって

「Before→After」の「After」というゴールにたどり着くために「繰り返し必要な行動」を見つけて商品化しましょう、とお伝えしました。

　ですが、今回は、ゴールにたどり着くために「繰り返し必要な行動」ではなく、「各ステップごとの行動」に対して商品を出品する方法です。

　ゴールに向かう階段のステップごとにあなたの商品を設置する、というイメージです。

　例えば、先ほどと同じ「転職したい」というニーズに対するゴールが「内定を得ること」だとしたら、そのために必要なステップは何でしょうか？

　一般的な企業の選考であれば、「①書類選考→②面接→③条件・年収決定→④内定」という4つのステップが主流のはずです。

　このすべてのステップに対応する商品をあなたが複数用意するのです。例えば、仮に①の書類選考のステップなら、

- 自分の強みを見つける自己分析のコツ
- 強みが伝わる魅力的な履歴書作成のコツ
- 証明写真の写りがアップする方法
- きれいな字で履歴書を作成代行します

といった商品などが考えられます。

　同様に、②面接のステップなら？　③条件・年収決定のステップ

なら？　と考え、ターゲットが一段一段階段を上っていくように、あなたの商品を適切に配置していきます。

　余談ですが、さらにゴールを「内定」ではなく「新しい企業に入社」とすれば、「退職交渉のコツ」や「退社・入社に必要な手続き教えます」などといったように、④内定後のステップもフォローできるかもしれませんし、新しい会社に入社後の「給料アップのコツ」「資格試験の勉強法」など、無限にサポートできるかもしれません。

　いかがでしたか？　少し極端な例でしたが、要するに**ターゲットがゴールに向かう各ステップをフォローできるように商品のラインナップを揃えれば、自ずとあなたのお店のリピーターになりやすい**ということです。

分析・改善ができれば必ず売れる

　これまで、売上の公式（**売上 ＝ 客数 × 客単価 × 購入頻度**）を構成する各要素（客数、客単価、購入頻度）を強化して売上アップするための方法をたっぷりご紹介してきました。

なぜわざわざこのように「公式」を何度も使ってしっかりと説明したかというと、本書をきっかけに、どんな事態にも応用できる思考力を身につけていただきたいからです。

　この売上の公式にのっとってしっかりと分析や改善をしていけば、どんなに初心者でも着実にこっそり副業で収入を上げることができます。
　どんな手段を考えればいいか？　という具体的な考え方は、本章を何度も読み返し、1つずつ試してみてください。

　販売とは科学です。一見すると難しそうに見えますが、「売れる理由」も「売れない理由」も明確に存在します。
　そのロジックを理解できるようになれば、このこっそり副業で収入を上げることはもちろん、本業でも売上を上げることができる人材になれるでしょう。

　とはいえ、難しく考えすぎる必要はまったくありません。

　まずはやってみる。
　世に出してみないことにはわからない。
　常に「相手がどうしたら喜ぶか」を自分なりにでも考えてみる。
　結果を見てまた改善する。

　そのシンプルな繰り返しで、あなたは楽しみながら成長していくスパイラルに突入できます。ぜひ、これから始まるあなたの「こっ

そり副業ライフ」を楽しんでください。

　最後に、業界団体である「シェアリングエコノミー協会」では、個人のスキルシェアワーカーをサポートするためのサービス「シェアワーカー会員サポートプラン」（https://share.jp/）を提供しています。

　「スキルシェアで活躍している人の情報がほしい」「確定申告のことを聞いてみたい」「病気や事故などもしもの時に助け合えるサポートや会社員のような福利厚生・慶弔金の仕組みがほしい」などの声に応える形で様々なイベントや制度があるようです。

　その他、個人間取引サービスゆえのトラブル防止に向けて「シェアエコあんしん検定」の提供も開始しています。

　これからこっそり副業を始めたあなたが「これどうしよう？」と迷ってしまったときは解決のヒントがあるかもしれないので、ぜひうまく活用してみてください。

　本書の執筆にあたり、情報提供をいただきました一般社団法人シェアリングエコノミー協会様、紹介内容のご確認に協力いただきましたスキルシェアプラットフォーム各社に感謝申し上げます。

フツーの派遣社員が
副業開始1週間で
自分の商品が売れた裏話

　最後のコラムとして、長年派遣社員として働く中、こっそり副業を始めたKさんのお話をします。

　彼女はこっそり副業を始める前から、「手に職を！」と資格試験の勉強をしたり、アフィリエイト（他社商品の販売）などの副業術を学んでいました。しかし、どれも機械的な作業のように感じてしまい、だんだん苦痛になって挫折。
　本当は自分の強みを活かして楽しく働いてみたいけれど、「フツーの事務職派遣社員の自分には何の強みもないし」と諦めていました。

　けれどそんな折、私の「こっそり副業術」に出会い、「やっぱり挑戦してみたい」と思うようになったそうです。
　そこでKさんは、「**何が売れるか**」を確かめるために、**まずは一気に10個もの商品を出品しました。**

　自己分析をした段階では「こんなの売れるのかなぁ」と思うものでも、**とにかく出してみるのはタダ！**　と主観を捨ててどんどん出品しました。

　出品した商品は、「長年の事務経験を活かした事務代行」「褒め上手といわれる性格を活かした創作作品の感想を伝えるサービス」「スナックでのアルバイトで培った話を聞くスキルを活かした、バーのようにまったり話を聞くサービス」など、彼女のちょっとした特技を活かしたもの。

　どのサービスも、専門知識や高度なスキルなどがなくとも、彼女の持っている今の知識やスキルで提供できるものでした。

　すると1週間後、あっさりと彼女の出品サービスが売れ、プラットフォーム内でランキング入りを果たし、1件数万円越えの仕事依頼など続々と問い合わせが届きました。

　初めてできた「自分のお客様」と仕事をした彼女は、その真面目で丁寧な仕事ぶりに感謝され、「仕事がこんなに楽しいなんて初めてです！」と興奮して報告をくれました。

　その言葉を聞けた時は、心の底から嬉しかったです。

　このKさんが素晴らしかったのは、**「とにかく主観を捨てて出してみる」**という点です。「こんなことでお金を払う人はいないだろう」「こんなこと誰でもできることだ」という思い込みを捨てるだけで、あっさりと結果は出るのです。

　「自分は平凡で何も売るものなんてない」と下を向いている方にはとても希望の湧くエピソードだと思い、ご紹介しました。

ちょっとした自分の特徴に気づき、売れたらラッキー♪くらいのカジュアルな感覚でどんどん商品を販売し、数字を見てゲームやパズル感覚でブラッシュアップしていく。気づいたら「自分のお客様」ができ、「ありがとう！」という言葉をもらえている。

　この体験は、きっと大きな自信につながることでしょう。

　今これを読んでいるあなたにも、「**こんなに楽しい副業があったんだ！**」という、新世界に飛び込んだような感覚をぜひ体感してもらえたら嬉しいです。

付録①
ワークの回答事例

　ワークで行き詰まった際のヒントにしていただけるよう、回答例をご紹介しておきます。あくまで一例なので、「こんなふうに振り返ればいいのか」「こんなささいなことでも書いていいんだ」と参考にしてみてください。

```
{                                              }
      第2章：自己分析ワーク
{                                              }
```

① プロフィール大解剖

A. 基本プロフィール編

年齢	33
性別	女性
居住経歴①エリア／年数	埼玉県大宮市／25年
居住経歴②エリア／年数	東京都板橋区／8年
居住経歴③エリア／年数	
生まれた家の家族構成	父・母・妹

恋人の有無	なし
未婚or既婚（既婚の場合は結婚年数）	未婚
子どもの有無	なし
ペットの有無	実家で犬1匹

B. 人生年表～学生時代・プライベート編～

	小学校	中学校	高校	専門学校・大学	大学院	社会人
年齢（xx-xx歳）	6-12歳	12-15歳	15-18歳	18-22歳		22-33歳
通っていた学校	●●小（公立）	●●中（公立）	●●高（私立）	●●大（私立）		-
得意科目／学部・専攻	国語	国語	現代文	文学部・日本文学専攻		-
部活	-	テニス部	テニス部	テニスサークル		-
役割・ポジション・キャラクター	-	後輩の指導係	副部長	しっかり者キャラ		-
習いごと	水泳ピアノ	学習塾	-	-		ヨガ
趣味	読書	プリクラ	カラオケ	海外旅行（5ケ国）		散歩
アルバイト・副業	-	-	-	焼肉屋ホール		-

取得資格・実績	-	英検3級 漢検2級	-	運転免許		-
この時期とくに身についた知識は？	・楽譜の読み方 ・文章の読解力	・効率的な勉強法 ・後輩への教え方	-	・海外の文化、観光スポット ・肉の部位、美味しい焼き方		・23区のカフェにくわしくなった
この時期とくに身についたスキルは？	・水泳 ・ピアノ演奏	・テニス	・テニス ・暗記力 ・チームをまとめる力	・テニス ・英会話（旅行で困らないレベル）		・ヨガのポーズ

C.人生年表〜社会人編〜

	仕事①	仕事②	仕事③	仕事④	仕事⑤	仕事⑥
年齢（xx-xx歳）	22-26歳	26-27歳	27-33歳			
年数	4年	1年	6年			
業界	食品メーカー	無職	IT会社			
職種	事務	-	営業事務			
役職or役割・ポジション	一般社員	-	一般社員（2年）→チーフ（4年）			
仕事内容	事務、経理、雑務	仕事せずに海外一人旅	営業マンの事務的サポート			

よく使用するツール・ソフト	・Excel・弥生会計	・Uberアプリ	・Power Point			
会社規模	200名	-	400名			
年収	250万	-	300万			
取得資格・実績	簿記2級	-	-			
この時期とくに身についた知識は？	・簿記	・海外の観光地情報、文化	-			
この時期とくに身についたスキルは？	・データ集計 ・効率的に書類をさばくスキル	・英語での日常会話スキル	・事務スキル ・資料作成スキル ・電話対応スキル ・指導力			

② 強みを見つける8の質問

	質問	①回答	②知識・スキル
1	人生で「お金をかけたな」と思うことは？具体的に、何にいくらかけた？（目安：5万円〜）	・全身脱毛　30万円 ・海外旅行（アメリカ）20万円 ・一人暮らし（引っ越し、家具など）50万円	・脱毛のメカニズムとおすすめクリニック ・海外の観光情報、英会話 ・一人暮らしの手順、安い引っ越し屋の見積もりの取り方

2	人生で「時間をかけて取り組んだな」と思うことは？ 具体的に、何を何ヶ月・何年続けた？（目安：1ヶ月〜）	・大学受験の勉強　1日8時間×10ヶ月 ・ダイエット（食事制限＋ジョギング）6ヶ月 ・朝活（6時起き勉強）3ヶ月 ・TOEICの勉強　3ヶ月	・暗記法 ・ダイエット ・早起き ・TOEIC英語
3	今まで「これは努力したな」と思うのはいつで、何をしたとき？	・ダイエットを6ヶ月コツコツ続けて5kg痩せた ・早起きが苦手だったが、3ヶ月間はTOEIC試験のためにほぼ毎日6時に起きて勉強した	・ダイエット ・早起き
4	なぜか人からよく褒められることは？	・優しい、癒される ・細かいところによく気がつく（飲み会のグラスなど）	
5	職場や友人によく頼まれがち・引き受けがちなことは？	・怒られて落ち込んでいる新人さんのフォロー役	・落ち込まない声掛けの方法
6	気づくと夢中になっていたり、没頭して時間が過ぎていることは？	・海外ドラマを観ること ・おしゃれなカフェの情報をInstagramやネットで探すこと	・海外ドラマ情報 ・都内のカフェ情報
7	よく触れているSNSは？どんな情報を収集している？	・Instagramで都内のカフェ情報	・都内のカフェ情報

8	あなたの本棚の中で、同じジャンルの本が3冊以上ある場合、そのジャンルは？	・カフェや関東近郊のお出かけ系の雑誌 ・睡眠や脳科学の本 ・仕事効率化の本	・関東近郊のお出かけ情報 ・睡眠 ・脳科学 ・仕事効率化テクニック

③ Before & Afterワーク

	ジャンル	① 以前悩んでいたこと	② それは改善された？	③ 改善のためにやった行動は？	④ どんな知識・スキルが身についた？
1	健康	肩こり、足のむくみ	○	半身浴とマッサージで血行を良くした	肩こりやむくみが起こる原因と、解決法
2	美容（外見コンプレックスなど）	目が小さい	○	目が大きく見えるメイク研究	目が大きく見えるアイラインの引き方、まつげの上げ方
3	恋愛、婚活	出会いがなく彼氏ができない	○	アプリに登録	マッチングのコツ、検索条件の決め方
4	友人関係	合わない子がいる	×		
5	仕事の人間関係（上司、同僚、部下、取引先など）	なし			

6	家族関係（夫婦、親子、親族、義理家族など）	なし			
7	お金（収入、借金、教育資金、老後資金など）	収入が少ない	×		
8	キャリア（就職、昇進、職種転換、転職、独立など）	就活のグループ面接で落ちる	○	役割をあらかじめ決める	話すのが苦手な人のグループ面接の切り抜け方

④ 知識・スキルの表を埋めよう

①〜③のワークをまとめると以下のようになります。

	知識	スキル
1	大宮の美味しいお店	文章の読解力
2	板橋の美味しいお店	水泳
3	犬のしつけ（トイレ、お手、おかわり）	ピアノ演奏
4	楽譜の読み方	テニス
5	漢検2級の知識	チームのモチベーションを上げる
6	英検3級、TOEICの知識	旅行で使える英会話
7	効率的な勉強法	ヨガのポーズ
8	後輩のやる気が出る教え方、声掛け	Excelのデータ集計
9	効率的な勉強法、早く暗記する方法	効率的に書類処理する

10	海外の観光情報	資料作成
11	肉の部位と美味しい焼き方	電話応対
12	普通運転免許レベルの交通ルール	相手のモチベーションを上げながら指導する
13	日本文学史	怒られて落ち込んでる人の話を聞いて元気を回復させる
14	23区のおしゃれなカフェ情報	
15	簿記2級の知識	
16	弥生会計の使い方	
17	一人暮らし・引っ越しの手順	
18	脱毛の種類と効果	
19	-5kgの食事制限レシピとジョギングメニュー	
20	早く起きるコツ	
21	関東近郊のお出かけスポット	
22	仕事を効率化するショートカットキー	
23	肩こりやむくみが起こる原因とその解決法	
24	目が大きく見えるアイラインの引き方、まつげの上げ方	
25	マッチングアプリの反応が高いプロフィール	
26	話すのが苦手な人のグループ面接突破法	
27	女子が好きそうな海外ドラマ情報	

第3章：商品作成ワーク

①知識・スキル	×	②提供方法	=	③商品	④誰が喜ぶ？	⑤具体的には？ ・年齢 ・性別 ・職業 ・悩むようになったきっかけ
23区のおしゃれなカフェ情報	×	共有業	=	東京のおしゃれ穴場カフェ教えます	休日にカフェ巡りをしたい人	・25歳 ・女性 ・事務職 ・趣味がなく休日に暇を持て余しているので、1人でも出かけられるスポットを知りたい
楽譜の読み方	×	代行業	=	あなたの楽譜にドレミファソラシド振ります	楽器初心者	・50歳 ・女性 ・専業主婦 ・新しく趣味で音楽を始めてみたいけど、なかなか楽譜を読めるようにならない

肩こり解消	×	先生業	=	肩こり解消セミナー	肩こりで悩む人	・40代 ・男性 ・デスクワークの会社員 ・管理職で残業が増え、肩が凝るようになった
-5kgの食事制限&ジョギング	×	相談業	=	ダイエット相談	あと5kg痩せたい人	・30歳 ・女性 ・会社員 ・近所にジムがないが、半年後に結婚式を控えておりあと5kg痩せたいので、食事や運動を頑張りたい
肉の部位と美味しい焼き方	×	共有業	=	彼女をアッと驚かせる外食デートご提案します	カッコいいと一目置かれたい人	・28歳 ・男性 ・会社員 ・久しぶりにできた彼女にかっこいいと思われたい

付録②
即実践！「こっそり副業術」
TO DO リスト

　本書を読み終えた後、あなたが「あれ、何をすればいいんだっけ？」と迷わないよう、下記に「こっそり副業術」で行うべき最低限のTO DOをまとめました。

　あなたはこのリスト通り、上から順に取り組むだけでOK。（＋αのものは必須ではありません）

　併せて所要時間の目安も記入しておいたので、そちらを参考に着手予定日を記入してスケジュールを立てたり、完了したらチェックを入れて達成感を味わうなど、ぜひゲーム感覚でサクサクと楽しくやってみてくださいね。
　本文でもお伝えした通り、「最初の1回目はスピード重視」が鉄則ですよ！

No.	TO DO	該当箇所	所要時間目安	着手予定日	完了☑
1	本書を一周読み、「こっそり副業術」を知る	p.2〜	90分		
2	自己分析ワークに取り組み、商品ネタを見つける	P.47〜	35分		
3	商品作成ワークに取り組み、販売する商品を決める	P.74〜	10分		
4	スキルシェアプラットフォームに登録する	P.76〜	10分		
5	商品の販売ページを作成する	P.97〜	30分		
6	プロフィールページを作成する	P.110〜	15分		
+α	SNSアカウントを開設し、発信開始する	P.117〜	5分〜		
+α	さらに売上アップさせる方法を学び、実践する	P.133〜			

おわりに
─「こんな自分には」と諦める人生はもう 終わりにしよう

さて、「こっそり副業術」はいかがだったでしょうか？

本書を初めから読んでくださった方は、今これからの「新しい副業の世界」に、きっとわくわくした気持ちになっていると思います。

本書では、

- 自分の強みの見つけ方
- 具体的な商品作りの方法
- より売上をアップさせる方法

といった、「これ一冊あれば副業は大丈夫！」と思える心強い味方になれるよう、必要な情報をぎっしりと詰め込んだので、ぜひ何度も読み直しながら使い倒していただければ嬉しいです。

最後に1つだけ、私の想いをお伝えさせてください。

世の中に無数の副業本がある中で、なぜ私がこの「こっそり副業術」という本を新たに書こうと思ったのか？

それは、私が「自信を持って生きる大人」を本気で増やしたかったからです。

もし、今の社会に何が足りないですか？と聞かれれば、私は「自

信」だと答えます。

　だって世の中には、「自信のない大人」がたくさんいます。

- 転職したいけど、こんな自分を欲しい会社はあるのか
- 副業にチャレンジしたいけど、こんな自分でも続くんだろうか
- 独立して時間やお金のゆとりを手に入れたいけど、こんな自分にできるわけがない

　このように、生活の中で無意識に「こんな自分なんて」と思ってしまう癖が根付いてしまっているように見えます。

　それはきっと、子どもの頃から決められた科目のテストの点数や、成績表や、かけっこの順位、受験の結果、先生や両親のいうことを素直に聞けるかどうかなど、「他人の尺度で評価される経験」が多いからなんだろう、と思います。

　このため、大人になっても、誰かに「いいね」といってもらえたり、「こうしなよ！」と背中を押してもらわないと自分の選択に自信が持てず、本当はやってみたいことがあってもなかなか行動に移せない。そんな大人が実に多いように感じています。

　何を隠そう、著者の私自身が数年前までずっと「自分に自信がない…」と下を向いて生きてきた人間でした。

　今でこそ会社員から独立して会社を経営し、ネットで発信をしたり、著書まで出版できていますが、以前は本当にまったく別人のような状態でした。

- 優秀な兄弟の中、私だけテストの点数が悪く両親に心配される
- 給食や家で夕食を食べるのが遅くて毎日怒られてばかり
- 人と喋ることが苦手で、いつも友達の輪の中に入れない
- 高校も大学も受験勉強を必死に頑張るもあっさりと落ちる
- 就職活動ではまったく喋れず空気と化し、100社以上落ち続ける

どうにか入社させてくれた会社で営業マンになるも、トークやプレゼンなんて大の苦手で、もちろん営業成績はまったく振るわず。同期どころか社内全体でダントツのビリで、毎朝上司に怒鳴られては、溢れそうになる涙を必死にこらえてトイレや営業車の中に駆け込む日々でした。

「自分は何をやってもうまくできない…」
私はずっと、こんな自分のことが大嫌いでした。
けれど、23歳の時に営業部の同僚からいわれたささいな言葉がきっかけで、私は初めて「自分の強み」を知ることになります。

「君って喋るのはうまくないけど、話を聞いたり引き出すのはすごく上手だよね。土谷さんにはついつい話したくなる安心感があって、それは君の才能だと思うよ」と。

自分の気持ちを伝えるのが苦手だったけれど、その分せめて相手の話をちゃんと聞こうと思っていたことが、そんなふうに評価されるなんて。
誰かにそんなことをいってもらえたことが生まれて初めてで、嬉

しくて、思わず涙が溢れてきました。

　そこからは、「こんなのは価値じゃない」という自分の思い込みを捨て、どんな環境に行っても「少しでも得意なこと」を見つけて活かせばいいんだ、と考えるようになりました。

　すると、ずっと自信が持てず下ばかり向いていた私の人生が、少しずつ変わり始めました。

　鳴かず飛ばずだった営業ではモノがどんどん売れるようになり、社内の営業順位はなんと1位に昇りつめ、そのおかげで最年少にして昇進したり、大企業への転職も難なく成功しました。

　さらに今では私自身を信頼してくれるお客様がたくさんでき、自分の会社を経営する社長にまでなりました。

　今でも、まるで誰か違う人の人生を見ているようです。

　自分の強みをどう活かそう？　と考えて、一生懸命動き、誰かが喜んでくれる。そんな毎日を送るうちに、大嫌いだった自分を少しずつ好きになれていくのがわかり、私は毎日が本当に楽しくなりました。

　昔はどうしようもなく劣等感でいっぱいの私だったからこそ、「自分の強みを活かせたら、自信はちゃんと作れるんだ」ということを、心の底から伝えたいと思っています。

　そのための手段として、「足りないもの」ばかりではなく「今できること」に目を向けて、楽しくお金を稼ぎ、誰かから感謝される

方が増えるようにと思いを込めて、本書を書きました。

　とくに本書では、副業ノウハウだけではなく、私が実際にこの目で見てきた数々の事例や、私のお客様が変化した生のエピソードをたっぷりお伝えすることにもこだわりました。
　それは、本書を読んだあなたが「こんな自分には」と諦めてしまわずに「きっと自分にもできるんだ！」と感じていただきたかったから。

　私は、他人から見たら輝く強みが山ほどあるのに、自分ではそれが見えず、昔の私のように自信を持てずにいる人のことを本当にもったいないと思っていますし、「得意なこと」や「好きなこと」を活かせる人生は本当に楽しい！と伝えたいです。
　ほんの小さなことでも「できた！」という成功体験が一生の自信になって、これからの人生で仕事やプライベートでの挑戦など色んなシーンであなたを支えてくれるでしょう。

　どんな人にも強みはあります。
　それを見つけて活かせば、もっともっと人生に楽しさが増え、きっとあなたが描く理想の人生に近づけます。

　本書を通じて、あなたの人生に自信が1つでも増えることが、私の一番の願いです。

　あなたが自信をなくしかけた時、いつも傍に寄り添える一冊にな

りますように。

　すべての大人が「こんな自分には…」と挑戦を諦める人生を終わらせるきっかけの一冊になりますように。

　いつもあなたのことを応援しています。

土谷愛

P.S.

　また、本書を手に取ってくださったあなたに特別なプレゼントをご用意しました。

　この後の〈著者紹介〉のページで、あなたの「こっそり副業」の成果を加速させる3大アイテムが無料で受け取れます。ぜひお早めに手に入れてみてくださいね。

〈著者紹介〉

土谷 愛（つちたに・あい）
1990 年神奈川県生まれ。
超がつくほど内気な性格で劣等感たっぷりの幼少期を過ごす。就活では約 100 社に落ち続け、やっとの思いで営業職として就職するも売上はビリ。しかし 24 歳のとき、同僚の何気ない一言から自分の意外な強みを見つけ、営業成績トップに。「自分の強みを活かせば誰もが輝ける」と確信し、2018 年、強み発掘コンサルタントとして独立。自分の強みを知る自己分析講座や、ネットを使ってスモールビジネスを始める講座などを開講。副業や起業を志す会社員を中心に口コミが広がり、「日常でできる強み発掘術」を無料で学ぶ公式メールマガジンの読者数は 5,000 名突破。「自信が持てた」「転職や起業に成功した」など多くの反響が寄せられている。
公式ブログ：https://tsuchitaniai.com/
Twitter：https://twitter.com/tsuchitaniai

購入者限定プレゼント
https://tsuchitaniai.com/202105-kossori-sidejobs-dl/
①直接たっぷり書き込める！ 5 つのワークシート DL 版
②売れる商品に早変わり！ セルフチェックシート
③当てはめるだけ！「売れる販売ページ」特別テンプレート
※本プレゼントは予告なく配布終了することがあります。
　あらかじめご了承ください。

特別なスキルがなくてもできる
月収＋10万円 こっそり副業術

2021 年 5 月 30 日　初版第 1 刷発行
2022 年 10 月 10 日　　　第11刷発行

著　者——土谷　愛
© 2021 Ai Tsuchitani

発行者——張　士洛
発行所——日本能率協会マネジメントセンター
〒 103-6009 東京都中央区日本橋 2-7-1 東京日本橋タワー

TEL 03（6362）4339（編集）／03（6362）4558（販売）
FAX 03（3272）8128（編集）／03（3272）8127（販売）
https://www.jmam.co.jp/

装丁・本文デザイン——藤塚尚子
イラスト——さとうあゆみ
本文 DTP　株式会社 RUHIA
印刷——シナノ書籍印刷株式会社
製本所——ナショナル製本協同組合

ISBN 978-4-8207-2906-8　C0034
落丁・乱丁はおとりかえします。
PRINTED IN JAPAN

組織にいながら、自由に働く。

仕事の不安が「夢中」に変わる加減乗除の法則

仲山進也 著
四六判248頁

「副（複）業解禁」「人生100年時代」……これまでの"常識"が通用しない時代、どのように働いていけばいいのか？　自分の働き方をアップデートするにはどうしたらいいか？　「自由すぎるサラリーマン」と呼ばれる著者がまとめた、働き方の4つのステージ。

自分の居場所をつくる働き方

仲間とつながり、自分らしく成果を出すコミュニティ・ワーカー

中里桃子 著
四六判192頁

"自分らしさ"を大切にしながら、仲間とつながり、協力しあって成果を出せる「居場所」をつくることができる人、「コミュニティ・ワーカー」。会社員としての出世でも、独立・起業でも、スペシャリスト・専門家でもない、新しい働き方を提案。

日本能率協会マネジメントセンター

土谷 愛（つちたに・あい）

1990年神奈川県生まれ。超がつくほど内気な性格で劣等感たっぷりの幼少期を過ごす。就活では約100社に落ち続け、やっとの思いで営業職として就職するも売上はビリ。しかし24歳のとき、同僚の何気ない一言から自分の意外な強みを見つけ、営業成績トップに。「自分の強みを活かせば誰もが輝ける」と確信し、強み発掘コンサルタントとして独立開業する。現在は自分の強みを知る自己分析講座や、強みを活かす転職講座、マーケティング講座なども運営。副業や起業を志す会社員を中心に、口コミが広がり、「日常でできる強み発掘術」を無料で学ぶ公式メールマガジンの読者数は 5,000名突破。「自信が持てた」「転職や起業に成功した」など多くの反響が寄せられている。

公式ブログ：https://tsuchitaniai.com/
X（旧Twitter）：https://twitter.com/tsuchitaniai

＼ 購入者限定プレゼント ／

1 直接たっぷり書き込める！
　　5つのワークシートDL版

2 売れる商品に早変わり！
　　セルフチェックシート

3 当てはめるだけ！
　　「売れる販売ページ」特別テンプレート

『月収＋10万円 こっそり副業術』
ISBN978-4-8207-2906-8

ISBN978-4-8207-2906-8
C0034 ¥1400E

定価1,540円
（本体1,400円＋税10%）

ISBN : 9784820729068
発注No : 121449
発注日付 : 241211
コメント : 34
番店CD : 187280　　09

21
ココからはがして下さい
1/1
次
受注